suhrkamp taschenbuch 136

CW00823269

H. C. Artmann, 1921 in Wien geboren, schon frühzeitig in vielen Sprachen und literarischen Künsten bewandert, Kriegsteilnehmer, Mitglied der »Wiener Gruppe«, lebte des längeren in Berlin und Malmö, in Bern und Graz, und ist seit 1968 ständig auf Reisen. Er schreibt Gedichte (gesammelt in *ein lilienweißer brief aus lincolnshire*), Theaterstücke (gesammelt in *die fahrt zur insel nantucket*) und Prosa (u. a.): *Das suchen nach dem gestrigen tag, Von denen Husaren und anderen Seil-Tänzern, Die Anfangsbuchstaben der Flagge, Fleiß und Industrie, Frankenstein in Sussex, How much, schatzi?, Grünverschlossene Botschaft, Das im Wald verlorene Totem, Kleinere Taschenkunststücke, Aus meiner Botanisiertrommel, Die Jagd nach Dr. U., Nachrichten aus Nord und Süd.* Siehe auch: *The Best of H. C. Artmann.*

H. C. Artmann – ein Name als Programm. Artistisches und Artifizielles sind Merkmale seines Werkes. Artmann ist Sprachfex und Lustspieler, Jargon-Jongleur und Reim-Rastelli, ein Tausendsassa der Literatur. Er kann Worte verwandeln – und sich selbst. Die Geschichten mit dem Titel *How much, schatzi?* sind mehr als etwas Neues von Artmann. Sie sind ein neuer Artmann. Er verwendet nicht mehr diese erlesene Sprache, die schöne Form. Sondern das, was bislang als unästhetisch gemieden wurde: das Pathos und die Platitüde, die derbe Drastik und das Melodramatische. Und dies wiederum, natürlich, als sprachliches Experiment, als Zusammenschau verschiedener lebender und toter Sprachen. Da gibt es Agneta Tigges und El Zorro, die morose Moreau und die schluchzende Justine, einen halbwadigen Pseudolindbergh und einen Barmixer mit Guntersachskoteletten. Es ist, als wenn Münchhausen, Roda Roda und Damon Runyan sich zu einem Erzählwettbewerb zusammengetan hätten mit Geschichten, die jede Realität Lügen strafen, um der Wahrheit näher zu kommen.

# H. C. Artmann
# How much,
# schatzi?

Suhrkamp

Umschlagabbildung nach einer
Zeichnung von Walter Schmögner

suhrkamp taschenbuch 136
Vierte Auflage, 26.–31. Tausend 1980
© dieser Ausgabe Suhrkamp Verlag
Frankfurt am Main 1971.
Suhrkamp Taschenbuch Verlag
Druck: Nomos Verlagsgesellschaft, Baden-Baden
Printed in Germany
Umschlag nach Entwürfen von
Willy Fleckhaus und Rolf Staudt

# Inhalt

How much, schatzi?

Er stand nichtssagend vor der tribüne der trabrennbahn, er war in seine lächerliche pelerine
gehüllt, sein schuhzeug wirkte in dem wildwu-
chernden gras aufdringlich protzig, sein gesicht
hatte etwas vom schlechten verputz eines billigen
hauses, er hatte wurstfinger, die in zu engen pisse-
gelben glacéhandschuhen steckten, seine kravatte
war ein greuel vor dem Herrn, er besaß einen hut,
ein teures stück aus einem üblen snobsalon, er
hatte ihn aber nicht auf, obwohl es ein wenig win-
dete; sein langes dünnes haar flatterte gelblich, er
hatte diese geschmacklosigkeit einer hutmacher-
kunst auf seinen hochgehaltenen spazierstock
praktiziert und ließ das kleine ungetüm kreisen,
wie chinesische gaukler mit viel geschick einen teller kreisen lassen.

Er hatte eine weste, die nach einer art patchouli
stank, er verbreitete irgendwie eine unangenehme
luft, sein bart war zottig und ebenso dünn wie
sein haupthaar, es war ein backenbart, den er auf
victorianische art wild und lang nach links und
rechts wie zwei komische goldfischflossen spreizte;
er war überhaupt eine erbärmliche erscheinung:
unter seinem rechten knie trug er einen falschen

hosenbandorden, das machwerk eines charakterlosen posamentierers, sein weinroter blazer war mit einem heraldisch völlig danebengegangenen stoffwappen versehen und trug das seltsame motto *per aspera ad astra*, er liebte steife taschentücher, gestärkte quadratische monstren, durch die ihm stets der rotz rutschte, wenn er sich einigermaßen stark schneuzte; er war ein äußerst dummer mensch, und was sein albernes gehabe anbetraf, das er besonders auf den trabrennbahnen der welt an den tag legte, so konnte man seinesgleichen lange suchen; ja, er war derart stupide, daß ihn jedermann mied, ihm aus dem wege ging, sich bei seinem anblick peinlich berührt einer anderen richtung zuwandte, um nicht sein schneidig hervorgejapstes guten tag anhören zu müssen.

Er besaß eine mutter, die reich war und in einem der besseren viertel dieser stadt wohnte, die nicht Kalkutta war, aber etliche architektonische sehenswürdigkeiten wie dieses aufwies, was ihr hier und dort einen ziemlich absurden charakter oktroyierte. Diese mutter war nun in ihrer jugend eine sehr schöne frau gewesen, die viele liebhaber gehabt hatte, und der hier beschriebene doppelaffe von rennplatzbesucher war eine frucht aus einem dieser schnellwechselnden verhältnisse. Diese mutter war heute nicht mehr so attraktiv und ließ ihr haar färben: einmal lila, ein anderes mal hechtgrau, ein drittes mal wieder hellrosa, welche letztere tönung ihr besonders zusagte.

Sie saß nun in ihrer villa am fenster der ersten etage und betrachtete durch einen feldstecher die vorgänge in einem der gegenüberliegenden zimmer. In diesem zimmer wohnte die braut des beleidigend blöden jungen mannes. Sie war, was ihr gesicht anlangte, einer antilope nicht unähnlich. Sie hieß Astra, hatte schöne lange finger, ein nicht uninteressantes décolleté, eine perlenkette, die ihr der unsympatler von affenmenschen zur verlobung geschenkt hatte, einen indischen teppich, eine vase mit frischen rosen, drei fette pekinesen, die sich im zimmer herumsuhlten, die stores zerbissen und in alle ecken kackten; in einem großen käfig saß ein sehr bunter kakadu, der *lustig* sagen konnte und den gleichen traurigen blick wie seine herrin hatte. Das erwähnte zimmer roch im augenblick noch ziemlich nach patchouli, dem nauseaten parfum des backenbärtigen lackaffen, da dieser es erst vor einer leichten halben stunde verlassen hatte. Wo man in diesem raum an die wände blickte, überall entdeckte man gerahmte photos dieses schnösels – als artist in der cirkuskuppel, als rallyefahrer im neuesten alfa, als poloheld in halsbrecherischer pose vom pferde gebeugt, mit seglermütze an der Alsterpromenade, ohne hemd, aber mit schreienden bahamas am strand von Waikiki, mit gezogenem zylinder als täubchenproduzent, als bergfex mit starkem sonnenbrand vor der sennhütte, als flibustier mit augenbinde und rotem kopftuch beim maskenball und so weiter ohne grazie, wie es bei leuten seinesgleichen leider der fall ist.

Die trabrenntribüne, vor der diese spottgeburt eines aftergentleman seinen gräßlichen kleinen hut balanzierte, war vollkommen aus holz erbaut, ja sogar die nägel waren aus bestem hartholz verfertigt, denn der seinerzeitige bauherr, er hatte das hippodrom auf seine kosten errichten lassen und es der stadt geschenkt, war von der furcht besessen gewesen, ein blitz könnte doch in einen metallnagel fahren, und um dieses zu vermeiden, war er auf die idee mit den holznägeln verfallen.

Diese trabrenntribüne hatte eine menge türmchen, in denen hölzerne glocken hingen, offen allen winden ausgesetzt bimmelten sie tagaus tagein mit hohlen stimmen; gewisse leute betrachteten diese plappernden carillons als eine musikalische rarität, und das waren sie ja schließlich auch, man mußte bloß sich daran gewöhnen, richtig hinzuhören.

Die tribüne lag im hellen sonnenlicht und war grün gestrichen, ein garstiges grün, wie sich der sportive tölpel unter vier augen ausgedrückt haben würde, zum beispiel unter vier augen mit seiner bescheuerten braut; und dieser vulgärausdruck ist hier völlig richtig am platze, denn wie kann sich auch ein junges mädchen aus gutem hause mit einem derartigen fant einlassen, sich mit ihm abgeben, mit ihm bett und couch teilen, mit ihm aus dem gleichen glas trinken, mit der gleichen gabel essen, mit ihm das gleiche clo benutzen, ihm nekkisch in das monstruöse ohrläppchen beißen, gegen ihn beim dominospiel mit absicht verlieren, um nicht seine ekelerregende eitelkeit zu verletzen, in nachtlokalen an seinem patchouliduftenden revers herumzupfen, mit ihm über das glatte parkett schleifen, als sei ein walzer das privileg für geistig debile.

Der nichtssagende mensch stand auf dieser grünen trabrenntribüne und hätte sie am liebsten angezündet, dazu fehlte ihm jedoch jeder mut. Er war nicht nur exemplarisch geschmacklos, sondern auch grenzenlos feige, sofern es sich um die begehung von etwas ungesetzlichem handelte. Sein schlampiger vater war jurist gewesen, und obgleich er keine ahnung hatte, wer dieser alte herr gewesen war, seine mutter hatte ihn darüber nicht auf dem laufenden gehalten, so lag ihm doch die gesetzesfurcht gleichsam im blut, ein erbstück, ein vermächtnis also, wie andere leute testamentarisch zu einer echten brosche oder einem chippendalestühlchen kommen. Er dachte nun daran, diese trabrenntribüne auf eigene kosten umfärben zu lassen, er hatte heute vormittag beim rennen eine menge geld gewonnen, eine karmesinrote übermalung würde sie in ein wahres prachtstück verwandeln, die leute würden begeistert sein, man würde ihn auf schultern über die rennbahn tragen, jokkeys in weiß-lila dressen und mit vor der brust geballten fäusten würden vor seinem triumphzug spurten, wie sprinter im zeitlupentempo, ein marsch würde intoniert werden, man würde vor begeisterung graue zylinder in die luft werfen und sie, vor enthusiasmus, auf dem rasen zertrampeln, er würde den anwesenden damen des high-life mit filzstift sein autogramm in das innere ihrer handflächen schreiben, auf der mairie würde er sich in das goldene buch eintragen, der bürgermeister und der vollzählig versammelte stadtrat würden ihn auf die wangen küssen, im kurpark würde man ihm bereits zu lebzeiten ein denkmal errichten.

Eine jähe windböe hatte indes den noch immer an der stockspitze kreisenden jammerfilz erfaßt, ließ ihn nicht mehr locker, trug ihn querfeldein in richtung rennställe, rollte ihn durch gras und sand . .

Die mutter am fenster ihrer villa, ihre augenblickliche haartönung war zimtbraun, beobachtete nun eine seltsame veränderung im zimmer ihrer futuren schwiegertochter: das bebrillte mädchen war vom kakadukäfig, durch dessen gitterstäbe sie bis jetzt den zeigefinger gesteckt hatte, plötzlich auf die tapetentüre hingeeilt, hatte sie geöffnet, und ein mann war eingetreten, der aber nicht ihr sohn war, denn dieser stand ja zur zeit im nordosten der stadt vor der grünen tribüne der trabrennbahn oder genauer gesagt, er lief, seinen ridikülen geckenstock verärgert schwingend, hinter seinem windentführten hut her .. Der unbekannte besucher breitete seine arme aus, und der observativen mutter war es, als säße sie vierzig jahre zuvor in einem stummfilm und auf der leinwand erschiene die erklärende legende: ENDLICH ALLEIN SCHATZ! Sieh mal einer an, redete sie mit sich selbst, sieh mal einer unsere gute Astra an, ein mädchen, von dem jedermann denken würde, sie könne kein wässerchen trüben, keinem fremden mann, ohne heftig zu erröten, in die pupille blicken, nicht das kleinstmögliche geheimnis vor Nandor haben, denn so hieß ihr sohn, dieser obertrottel, sie, ein mädchen, über deren lippen stets nur fröhliche, anspruchslose liedchen perlten, ein junges menschenkind, das, Nandor natürlich ausgenommen, noch mit keinem anderen manne zusammengelegen hatte. Ja, schnecken, hier sah sie mit eigenen augen, wie sich diese zukünftige ihres einzigen sohnes aufs geratewohl dem nächstbesten hingab oder das zu tun wenigstens im begriffe stand. Nandors mutter, obgleich eine leicht angewelkte hure, hatte sich dennoch so viel schamgefühl durch zehntausend nächte der ausschweifungen hinübergerettet, daß ihr nach dieser kintopphaften eröffnung die unterlippe hinunterrutschte, so daß das fischrote zahnfleisch ihres unterkiefers fast zur gänze freigelegt wurde. Was würde ihr Nandor dazu sagen, wenn sie ihm die volle wahrheit über Astra mitteilte? Aufstampfen würde er, wie es seine art schon seit zartester jugend war, geifern würde er wie ein erhitzter beschälhengst, schreien würde er, weinen, fluchen, luftsprünge vollführen und purzelbäume schlagen wie ein clown auf dem trampolin, ja, das würde er, sie kannte seinen manchmal heftigen charakter.

Der verflixte runde hut hatte um diese zeit den trabrennplatz längst überquert, war über ein niederes gatter gesprungen, die chaussée entlang gerollt, in die glasüberdachten beete einer gemüsegärtnerei geraten und zuletzt durch die offene tür in die küche des gärtners gehüpft, der gerade bei tische saß und den vorfall fürs erste gar nicht gewahrte .. Der häßliche schablonenmensch hatte indessen noch nicht einmal die hälfte des weges hinter seine auffallend gemeinen schuhabsätze gebracht. Er rannte wie ein tollwütiger straßenköter in eine richtung, die ihn immer mehr von seinem flohfarbenen giftpilz entfernte. Am horizont tauchten fabrikschlote auf, chemisches gequalme stieg zu gelben schwaden, er lief an straßenbahnen vorüber, die bei seinem anblick scharf klingelten, arbeitende menschen warfen ihm dieses oder jenes verächtliche wort zu, hunde kreuzten auf und jaulten wehmütig oder erkennend, alte frauen schluckten ihre gebisse, babies erhoben sich zum ersten male in ihrem jungen leben in den kinderwagen und guckten ihm verständnislos nach, einem polizisten riß es wie einen passionierten veitstänzer, in den bistros ließ man flipper flipper sein und trat vor das lokal, ein verkehrsregelnder helikopter streifte nahezu die fernsehantennen der gendarmeriekaserne.

Frau Milva, denn so hieß jene verhurte dame, hob nun wieder ihren feldstecher vor die noch immer feurigen augen und mußte in der folge noch mehr erblicken, als sie sich hätte träumen lassen: der bei fräulein Astra eingetretene valentino hatte hut und jacke abgelegt und schien zu trällern, stand auch in dazupassender pose vor dem großen goldgerahmten spiegel und hielt die arme, so wie es forsche spanier gerne tun, unternehmungslustig in die hüften gestützt. Plötzlich drehte er sich überraschend schnell um, er blickte Astra tief und warm in die augen, seine hände zuckten in einer kleinen, fast rührenden geste – und wieder war es der mutter dieses aufgeblasenen fatzkes, als schöbe sich ein explikativer text über flimmerleinwand: HIER HAST DU MICH – FÜR IMMER!

Oh, das konnte und durfte nicht möglich sein! Nandor würde diesen frechen envahisseur glattwegs erschießen, ihm mit geballter faust ins gesicht schlagen, ihm die vase an den kopf werfen, ihn in den großen spiegel stoßen, ihn mit einem schlagring verfolgen, ihm den schmalen gaunerbart von der oberlippe zupfen, ihm das knie in den bauch stoßen, ihm den dezenten schlips abschneiden, seine glattrasierten wangen mit ohrfeigen bearbeiten, ihn zu boden schleudern und auf ihm wie auf einer sprungfedermatratze herumhopsen – ja, das täte er, wenn er nicht eben auf dem trabrennplatz vor der zuschauertribüne stünde, um eine farbe auszuhecken, mit der man dieses ding zu neuen ehren aufmöbeln könnte, denn das alte grün war seinen augen ein greuel, und da mußte etwas geschehen . .

Aber dieser Idiot von rächendem sohn war bereits meilenweit von jener holztribüne abgeirrt und lief in sinnloser verfolgung seines despektablen hutes durch eine straße des hafenquartiers. .

Sie eierschädel! rief ein blonder riese, der eben aus einem dunklen hausflur hervorgetreten und von dem laufenden wanzennandor angerempelt worden war. Sie eierschädel, haben sie keine augen im kopf? Der so exzellent charakterisierte zuckte wie von einem vorschlaghammer getroffen zusammen, seine pupillen weiteten sich blöd erstaunt wie die eines kalbes, das dem metzger seine profession bereits auf dreißig schritte ansieht, seine mundwinkel verzogen sich wehleidig, er taumelte, glitt vom randstein des trottoirs, seine rechte schuhsohle trat in spröden, knochenweißen hundekot, er räusperte sich zwischen zwei abscheulichen keuchern, probierte ein entschuldigendes lächeln, brachte aber nur eine noch doofere fratze aufs tapet, sagte schließlich laut und deutlich, *pardon, mein herr!* und versuchte, seinen eingeschlagenen weg nach einem nebulosen endziel fortzusetzen, ein vorhaben, das jedoch im nächsten augenblick von dem giganten im blaumann durch einen raschen handgriff unterbunden wurde. Mit einer stimme, die ehrliche abscheu und empörung ausdrücken sollte, in wirklichkeit aber verstellung war, rief der maritime titan, denn es handelte sich um einen seemann aus Le Havre: dieb! schamloser, miserabler dieb!

Mein herr, ich bin kein dieb, stotterte dieser hammel von rennplatzbummler und versuchte sich zappelnd aus dem kragengriff des empörung spielenden rabauken zu befreien. Mein herr, ich bin vermögend genug, um nicht stehlen zu müssen! Eine volle lache drang gurgelnd aus dem breiten mund des gewaltigen nordländers: und was ist mit dieser pelerine da? Diese pelerine, mein herr, sagte der gräßlichste arsch aller zeiten, habe ich bei Burbanks & fils anmessen lassen. Der skandinavische unhold lachte noch schrecklicher, eine sturmfahne aus sieben verschiedenen schnapssorten tätschelte das an schlechten verputz erinnernde gesicht des hirnödels, und man hätte bei genauerem hinsehen unweigerlich gemerkt, wie jener schlampig aufgetragene verputz noch mehr abrieselte. Diese pelerine wurde mir gestern in einem nachtclub der rue des Innocents vom stuhl geklaut, und der dieb, mein herr, waren sie. Ich erkenne sie jetzt genau wieder – der kerl mit dem strichjungen auf dem knie! Schämen sie sich nicht? Haben sie noch eine mutter, junger mensch? Was meinen sie, würde die jetzt sagen, wenn sie davon erführe? In diesem augenblick drohten dem oberdämlack die beine wegzusacken, aber ruhig blut! der seelord hielt ihn noch immer treu und fest am kragen. . In was für ein schummriges viertel war er da geraten? Er mußte einen falschen weg eingeschlagen haben – das dämmert nun auch in seinem leicht angematschten sirmelhirn . .

Um eben jene minute, da diesem blödisten von trabrennwedel der arsch buchstäblich auf grundeis ging, schnappte frau Milva, die scharfe endvierzigerin, wie eine kaulquappe nach luft – der valentinohafte besucher ihrer schwiegertochter in spe hatte sich lächelnd seines beinkleides entledigt und schwang dieses maskuline, doch unpraktische tweedprodukt wie eine argentinische bola über seinem implakablen brillantineschimmernden mittelscheitel, so daß sich die elastischen hosenträger bis zur zerreißprobe strafften. Frau Milva hatte in diesem moment die vorstellung eines tangojaulers, eines weibertoreros, eines herzbetörers, eines eleganten kußhändchenschmeißers, eines in damenohren winselnden eintänzers, eines zärtlich tuschelnden monolescu, einer geschniegelten rouletteratte; er schien ihr ein séducteur in teuren sockenhaltern, ein flüsterbariton, ein patentierter boudoirheros, ein unwiderstehlicher buenosairenser, ein sheikh in charmeusegatjen, ein sardonischer cheese-lächler lateinischer provenienz – frau Milva geriet in den bedenklichen zustand, in dem sich begeisterung und sittliche empörung die waage halten, ein zustand, wo das züngelchen nicht weiß wohin.

Dieser ausgesprochene wurm von sohn einer bereits nur noch mit einschränkungen vernaschbaren mutter war inzwischen seine abominable pelerine los und schlich nun an der wand von häusern einer straße, die drolligerweise fast nur aus absteige- quartieren bestand; füllige brünette und dralle blondinen hingen brüstewringend in den offenen fenstern, und manch schmutziges wort flog wie eine schornsteintaube durch den flimmernden nachmittag. Der lamentable dussel kam sich ohne pelerine einigermaßen nackt vor, er beschloß da- her, wenn er erst einmal die city erreicht haben würde, sogleich bei Burbanks & fils vorbeizu- schauen, um eine neue zu erwerben – geld hatte er ja, hatte es glücklicherweise in der brusttasche sei- nes indiskutablen jacketts stecken gehabt und nicht in der pelerine, denn sonst wären ja, so dachte er erleichtert, ganze zwanzigtausend francs im eimer gewesen, ein hübscher gewinn von vormittag; es ist nachgerade beklagenswert, daß stets die be- schissensten armleuchter glück auf der rennbahn haben, wogegen ein ordentlicher mensch höchstens beim pokern oder im baccara einige schäbige krö- ten ziehen kann. Es war in der tat der häßlichste anblick von der welt zu sehen, wie dieser protzig aufgemaschelte arsch mit ohren ein kleines ver- mögen durch dieses hungerzerfurchte armeleu- teviertel trug, durch ein viertel, in dem das wort *champagner* nur durch orientalische märchener- zähler bekannt war, in dem der ausgebeutete ar-

beiter sein tägliches glas milch durch zerstöreri-
schen fusel ersetzen mußte, um überhaupt am
leben zu bleiben.

Diese klosettbrille von muttersöhnchen aus rei-
chem hause hatte eine muffige seitengasse erreicht
und bog nach einigem zögern in diese ein. Natürlich gedachte er nicht, in diesem gottverlassenen
brunzwinkel seinen entflohenen lausdeckel von
hut wiederzufinden, so hirnverbrannt war nicht
einmal er, dem man zwischen empfängnis und ge-
burt zu verschiedenen anlässen in den kopf ge-
kackt hatte, aber er stellte sich vor, er würde auf
diese weise seinen gang nach der city um ein er-
kleckliches maß kürzen – leute seines schlages haben mitunter solche belämmerten ideen. .

Frau Milva fühlte sich gegen 5 uhr nachmittags
wie vor einem pikanten guckkasten alten schlages,
ihre augen hatten sich den optischen linsen des
feldstechers gleich haftschalen vermählt, ihre noch
immer formschönen beine umschlangen einander
wie zwei sich kopulierende nattern, ihr leicht be-
dienter busen hob und senkte sich in lauernden
und überraschten atemzügen – nun hatte sich auch
diese treulose antilope von Astra auf ein kaum
mehr erlaubbares freigemacht; ihr büstenhalter
hing im lüster, ihr keuscher schottenrock war irgendwo hinter dem breiten bett an land gegangen,

23

ihr in eine ecke gewichster strumpfbandgürtel hatte im fluge die vase mit Nandors rosen auf den indischen teppich gefegt, der ewig grinsende no- belgaucho saß im bequemen ledersessel und ließ seine geschniegelten lackschuhe, als wenns nichts wär, über die lilabesockten fersen gleiten. Und abermals war es dieser vervögelten geilquappe, als unterbräche ein erläuternder text den angenehm violetten ablauf des stummfilmdramas, und zwar diesmal mit der bündigen legende: WAS WEI- TER GESCHAH, VERSCHWEIGT DIE GE- SCHICHTE. .

Aber es geschah weiter und weiter und weiter, und frau Milva hatte zwischendurch große furcht, ei- nen schielkrampf zu bekommen, sie konnte es auch nicht verhindern, daß ihr tränen über die diskret von lastern gezeichneten wangen herabflossen, so verbiestert hielt sie diese meisterleistung optischer präzision vor die sich langsam verschleiernden augen. .

Nandor, dieser neandertaler par excellence, war in eine sackgasse geraten und sah sich genö- tigt, einen zeitraubenden rückzug anzutreten; er hätte sich, wäre er unter anderem ein schlangen- mensch gewesen, liebend gerne in den arsch gebis- sen, so wütend war er über seine eigene idiotie; er belegte sich mit den unflätigsten schimpfnamen, die er verbissen zwischen seinen schlechten zähnen hervorfurzte; flachkopf nannte er sich, chloroformierter anfänger, damischer dösbartel, stiefmütterlich bedachter parcival, grüner gimpel, einfaltspinsel, wedel, dariwudel, greenhorn, hutblume; konfirmand, rief er endlich aus, dümmer bist du, als es die polizei erlaubt!

Aus einer finsteren nische trat ein stämmiges, nicht einmal so unhübsches weib hervor und umfaßte ihn mit einem nackten, bis an die schulter entblößten arm. Nandor, dieser fragwürdige typ zwischen hyäne und schafbock, stieß einen quäkenden laut basser überraschung aus, es klang widerlich! üörck oder so ähnlich. Er trachtete zum zweiten mal in der letzten viertelstunde eine ungewollte inbesitznahme seines mickrigen ego abzuschütteln – und wieder mißlang es dem halbseidenen sporttrottel! Ja, die herrliche bergluft mit seinem stinkenden atem versauen, das konnte er, die azurnen gestade von Waikiki mit seinen schauerlichen schweißfüßen verseuchen, ja, das konnte er, altehrwürdige wintercirkuskuppeln mit lachhaften salti entehren, ja, das konnte er, sündteure alfas durch falsches schalten zu grunde richten, ja, das konnte er, und er verstand es auch vortrefflich, in gemeinschaft mit fiesen, blutsaugerischen maharadschahs unschuldige rösser zu schinden, vor versnobten, stinklangweiligen jet-

settlern täubchen aus zylindern hervorzuschwin-
deln, nicht ohne dabei den namen Picasso zu
verblödeln, ja, er besaß sogar die scheißreaktio-
näre geschmacklosigkeit, bei uröden maskeraden
den flibustier, abbild absoluter freiheit, patchou-
limüffelnd nachzuäffen, jawohl, selbst dazu war
er imstande .. Nur eines konnte er nicht – und er
würde das niemals lernen: einer frau aus dem
volke, einer arbeitertochter wie du und ich, ins
auge zu blicken und zu fragen *how much,
schatzi?*

In der ersten etage des hauses nummer 12 der
rue Larousse-Lautrec, das nämliche haus, das dem
der frau Milva gegenüberliegt und das fräulein
Astra, die braut dieses rauschkindes von renn-
bummler, beherbergt, ging es bereits zu wie im
alten Karthago, und das soll was heißen. Frau
Milva, die ärgerlicherweise längst die toilette wegen eines kleinen bedürfnisses hätte aufsuchen
müssen, wollte dennoch keine szene dieses stum-
men sittenstücks versäumen und war bereits an
dem punkt angelangt, ihrem übermächtigen pin-
keldrang freizügig stattzugeben – die optischen
zwillinge ihres feldstechers zeigten ihr nämlich ein
neues kapitel, das ohne weiteres der feder eines
begabteren pornographen würdig gewesen wäre.
Astra und ihr nasaltremolierender galan hatten

bereits die schummrigen gestade erreicht, wo uku-
leles der vorausaktionen zwinzen. Frau Milva,
dieser art musik alles andere als abgeneigt, ver-
spürte mit einem male, wie ihr chiffonseidenes
innenleben von den dunklen weichen tönen eines
b-saxophons durchwellt wurde. Hier konnte sie
wirklich keine rücksicht mehr auf verluste üben,
sie erhob sich ein wenig von ihrer sitzgelegenheit,
um sich einer doppelten lust, einer optischen und
einer vollblasenbedingten, hinzugeben; ein leises
gluckern erfüllte den dämmrigen erker, es war
etwas nach fünf, die sonne fiel jetzt mit einem
direkten strahl in das gegenüberliegende fenster,
fiel genau auf das bett, erleuchtete antilopengau-
cho und gauchoantilope, die, bis auf das allerdürf-
tigste entblößt, das laken schmückten – Astra war
mit ihrer getönten brille bekleidet, der nachmit-
tagsvalentino zeigte sich im schmuck seiner arm-
banduhr als mann von modischem geschmack –
aus einem offenen balkonzimmer der nachbar-
schaft hörte man angeregtes lachen und *fidgety
feet*, das schließlich in *co-ed* überging . .

Für Nandor, diesen schwächsten musikanten aller zeiten, war es allerdings alles andere denn die
arkadische stunde des frühen jazz. Das mächtige
weib hatte ihn in den kühlen kohlduftenden hausflur gezerrt, eine seejungfrau, die irgendsoeinen ho-

senscheißer zur see in ihren krautgrünen bereich lotste; wogen abendlicher äußerungen volkhafter kochkunst hüllten den gekidnappten unflat in ein flatterndes, soßengeblümtes tischtuch; ein starker unbestrumpfter frauenfuß stieß eine halboffene türe vollends auf. Auch hier stand ein bett, wenn auch ein anderes, engeres als das von Astra, ein weißgestrichenes, leicht angegilbtes, elfenbeinernes sozusagen, aus stahlrohr mit rostverdächtigem hopseinsatz und einem kissen, das die eierschalenfarbenen zeichen und ideogramme verflossener rumsereien keß zu schau stellte. Die bettdecke aus falschem kamelhaar war einladend aufgeschlagen. Das stämmige arbeiterkind schnaufte, wildfang, sagte es lächelnd, wie er nur zappelt! aber ich will dir schon noch andere, lustigere zappeleien beibringen, keine bange, junger mann! Sie warf das jammerpaket von latrinenbau kurzerhand auf die bettstatt, es war, als zerspränge die quietschende seele einer alten pendeluhr. Nandor starrte aus seiner horizontale mit blöden augen, einem abgestochenen hammel nicht unähnlich, nach der gegenüberliegenden wand, die nichts, aber auch gar nichts remarkables aufzuweisen hatte.

Frau Milfa war einer nahezu an apoplexie grenzenden unpäßlichkeit nahe, sie hatte sich

schwankend aus ihrem angenehm warmdurchnäß-
ten sessel erhoben und beugte sich wie ein matrose,
der land sieht, aus dem mastkorb ihres saloner-
kers, um die vor sich gehende szene noch besser
verfolgen zu können, und obgleich sie nicht mehr
wußte, ob sie schwebte oder verharrte, stieg oder
stürzte, blieb sie dem enthüllenden binokel verbunden wie ein kind seiner mutter. Welch sodom-
beschwörendes spektakel hinter dem fenster jener
ersten etage: Astra, Nandors längst abzuschrei-
bende braut, diese stille, solide brillenträgerin
mit den antilopensanften zügen, hatte sich dem
frechgrinsenden drittelcaballero rittlings aufge-
hockt, zu welchem behuf, das konnte die japsende
schwiegermutter dank der vorzüglichen qualität
ihres optischen gerätes aufs haarschärfste ausma-
chen – Astras hände verschränkten sich krampfig
hinter ihrem nacken, ihre hüften begannen zu
kreisen, zuerst mit bedächtiger raffinesse, dann
schneller, erregter, und schließlich rasend wie eine
fleischgewordene windhose, so daß das ferne sei-
denbett, frau Miva konnte es nicht hören, aber sie
ahnte es, wie eine schwere takelage im sturme
ächzte .. Eine barmherzige ohnmacht umfing die
dame des hauses nummer 17 rue Larousse-Lautrec – wie eine träufende honigwabe, die dem im-
ker vom gestell rutscht, so sank sie vom fenster-
brett ..

Die jüngere frau musterte den lachhaften doof-
nickel, der furchtsam, mit angezogenen knien, auf
ihrem einfachen bett lag und das verwaschene, etwas fadenscheinige linnen mit seinen unappetitli-
chen schuhen andreckte. Sie hatte eine hochtou-
pierte haarfrisur, wie man sie in bescheideneren
kreisen des volkes so häufig antrifft, an der rechten
kinnseite saß ihr ein reifer pustel, die folge billiger
kernseife, denn wie auch hätte sie sich bessere lei-
sten können? Neun filmstars unter zehn verwenden die herrlichste toiletteseife von der welt, allein sie war keine jener gefeierten diven, sondern
bloß die tochter eines kranken, in kneipen nach
heilung suchenden hausmeisters, dem sie als her-
zensgutes kind noch von dem wenigen mitteilte,
das aus ihrer nebenbeschäftigung entsprang.
Hauptberuflich war sie blumenbinderin, auch das
ein sehr weibliches metier, aber was warf das
schon ab – ein tropfen auf dem heißen nierenstein
ihres erzeugers . .

Sie hatte ihre bluse abgelegt, und ihr schwerer
busen hing schalkhaft drohend über dem mauer-
grauen allerweltsgesicht dieses feinseinwollenden
pinkels, der dalag und schwieg, als kämpfe er
mühsam gegen verschlagene winde an. Rasche
rechnung – gute freunde . . sagte sie endlich. Wieviel bin ich dir wert? Der lausige heimpariser zog
seinen lamanacken ein und schwieg beharrlich ein

stück weiter. Das geduldige mädchen setzte sich an den bettrand, die dadurch sehr belastete eisenschiene bog sich sichtlich: weißt du, fuhr sie in ihrer simplen und doch so einnehmenden art fort, für die arbeiter hab ich da meine eigenen preise, aber bei dir . . Sie unterbrach sich für einen augenblick . . bei dir würd ich es gratis und franko tun, du gefällst mir, du bist ein feiner, ein besserer . . Kannst mir ja nachher was schenken, muß ja nicht gleich ein blauer lappen sein . .

Da lag er nun, dieser zierbengel, dieser salontiroler, dieser stadtfrack, dieser reithosenbesudler, dieser roßapfelschnüffler, dieser furzkistengandhi, dieser blaugrüne nasenpoppel, dieser pensionierte schimpanse, dieser mehlsiebscheißer, dieser fußkranke doppelnurmi, dieses wabbelweiche sülzknie, diese steißgeburt in reinkultur, diese lagunenleiche, dieser milchmann im strandbad, dieser rinnäugige pissoirwurm, dieser geifernde astlochpimperer . .

Jawoll, meine freunde, da lag er mit vollen hosen – und sein knisternder backenbart flatterte nicht mehr nach links und nach rechts . . wie hartnäckiger efeu klebte er am bröckelnden verputz seiner wangen. Ein ebenso erbärmliches wie abstoßendes bild eines menschen, dem von jugend an alles in den schoß gefallen ist!

Grunzbojar im musenhain

Der weltberühmte sänger hatte sich mit der behendigkeit eines äffchens auf den weißgestrichenen hocker geschwungen und schmetterte nun seinen belcanto durch die für ihn zyklopischen ausmaße der herrschaftlichen küche; das gesamte personal des schlosses Leeuwenhoek blickte andachtsvoll in die nach diversen verrichtungen duftenden handflächen: sehen sie sich diesen oberkoch an, der es nicht wagt, die rotzgefüllte nase zu schneuzen, bemerken gefälligst den donnerbusen der reizenden unterköchin, die lautlos und unauffällig von minute zu minute ihr respektheischendes backengewicht verlagert (man hat ihr spaßeshalber einige harte erbsen auf den einfachen stuhl praktiziert), lesen sie in den blauen augen jener kaltmamsell, die ihre tränendrüsen aufs vortrefflichste bearbeitet, blicken sie nach jenem mordskerl von hausmetzger, der leise wie ein sechsjähriger vor sich hinflennt, betrachten sie die traumhaft zarte karottenputzerin Elise, die eben einer diskreten ohnmacht anheimfällt, lernen sie für spätere zeiten von dem starken gefühlsausbruch der verdienten kaffeesiederin oder, wenn sie den blick ganz nach hinten schweifen lassen, von der paradiesischen

entrücktheit der dreizehn kartoffelschrubberinnen;
mit wilden, aber gefaßten augen verschlingt der
abwegig veranlagte speisenvorkoster die kugel-
runde, etwa einsfünfzig große gestalt des *wieder-
carusos*, der völlig unmusische, jetzt jedoch be-
kehrte bratenvorschneider ringt verstohlen die
hände, der dralle geflügelschopper atmet schwer
wie ein aufgetauchter froschmann, die junonische
wirtschafterin überkommt der ekstatische aus-
druck einer märtyrerin beim fangstich, mit wollü-
stigem jucken träufen der blutjungen kaninchenbeschälerin schauer heiligen schweißes steißab-
wärts; kein raunen stört des liedes mächtige
klangfülle, kein huster neckt das hohe c, gemeinsam verhaltener atem allein schwebt verklärt wie
perlmuttfarbener bodennebel über pfannenstie-
len, schmalztöpfen und zwiebelduftenden schnei-
debrettchen, wie notenbedruckte seraphim tänzeln
die trillernden gurgler des meisters nach den ge-
hörorganen der entrückten lauscher.

Vor dem eingang zur küche stand der verschlagene graf und beneidete den sänger, seinen gast,
um dessen herrliche stimme; er bohrte den wuchtigen hacken seines linken reitstiefels tief in den
knirschenden kies. Er war ein mann, der viel ge-
erbt und manches hinzugerafft hatte, kein wunsch
war ihm versagt geblieben, er blendete seine umwelt durch hervorragende reiterkunststücke, blies

mit meisterschaft das waldhorn, schoß, wenn es
darauf ankam, eine maus vom turmhahn, geigte
wie rastelli, verstand sich bestens auf das abrich-
ten von bluthunden, schlug das piano wie ein Ein-
stein, sprach sieben sprachen in wort und schrift,
beherrschte unter diesen das russische wie ein geborener petersburger, vermochte ganze canti aus
dem Orlando Furioso fehlerfrei aufzusagen, seine
walzer und charlestons waren makellos, seine figur und züge die eines gepflegten adonis, sein haar
war angenehm gescheitelt und nußbraun, seine
feinnervige hand hielt jetzt den silberknauf eines
ebenholzspazierstocks ingrimmig umkrampft und
sein herz tobte einem sich wüst gebärdenden welt-
meer nicht unähnlich: graf Leeuwenhoek, der im-
plakable allroundman war nicht imstande, einen
einzigen laut des gesanges aus dem sonst so wohl-
klingenden born seiner kehle hervorzulocken!

Der große sänger hatte jetzt sein lied beendet,
wieder mal ne wohlabgerundete leistung, wie er
bei sich dachte, und jubelnder beifall dankte ihm
für diesen akt angewandter demokratie; er war
denn auch selbst als armer-leute-kind zur welt gekommen, hatte eine reihe jahre schwerer lehren
durchzustehen gehabt, allein sein sonniges gemüt
und die edle kraft seiner stimme hatten seinen
künstlerischen aufstieg mannhaft auf die schultern
genommen, ihn zum zenith geführt, und so sang

sich Rolph Labonza in die herzen von arm und reich – für geld bei den reichen, satten, gratis und franco für die armen, beladenen .. Gold in der kehle zu haben, ist ein räuspern wohl wert. Und Labonza hatte sogar platin und uran in der vibrierenden gurgel: wie eine waagerechte fontäne schoß das wertvolle zeug aus seinem rachen, bedeckte tische, wände, tapeten und spiegel mit unauslöschlichen inschriften musikalischen inhalts, ging wie honig ins ohr, durchdrang die vernünftigsten herzen wie törichte liebe, schmetterte fanale der beglücktheit über die seelen, kleidete sie in die wertvolle seide des wunschlosfröhlichseins, band enthusiasmierende schleifchen ins flattergelock des kunstgenusses, rang den verhärtetsten damen sanftfließende orgasmen ab, wiedererhob der lässigsten greise gemächte, rangelte sich hoch wie ein mythologischer baumkraxler an den eingeseiften stämmen der schwierigsten passagen und fiel, wenn es an der zeit war, mit der eleganz eines wohltemperierten thermometers.

Der graf führte böses hinter der weißen frackbrust, er hatte genug, seine quälende geduld war erschöpft. Er verließ das große küchenfenster, davor er uneingesehen gestanden war, und schlich mit einem häßlichen grunzen die treppen zum turmzimmerchen seines schlosses hoch. Er hielt vor der versperrten türe an, zog einen kleinen, exqui-

sitgearbeiteten schlüsselbund aus der tasche seines beinkleides und schloß auf. Ein dressiertes
schwein lief dem eingetretenen freudig erregt entgegen. Guten tag, Ferkel! sagte der graf. Das
schwein, welches einen seinen massen entsprechen-
den maßgeschneiderten morgenrock trug, machte
sich an ein in der wand des zimmers eingelassenes
abcbrett und stieß mit der rosa schnauze je der
reihe nach an die buchstaben, die den gruß »guten
tag, herr graf« ausmachten. Wir werden heute dem
schäbigen Labonza einen gelungenen possen auf-
geigen! sagte der graf zum schwein in seiner
scheinbar humorigen art. Das schwein berührte
devot mit dem rüssel die lettern o und k.

Der weltberühmte sänger hatte sich während
des applauses die verrutschten hosenträger gerichtet und setzte mit einem strahlenden lächeln zu
einem neuen liede an: tanti palpiti .. Wieder die
immense stille wie zuvor: die bereits völlig
schweißgebadete kaninchenbeschälerin verdreht
die augen wie eine sodomierte nonne, die wirtschafterin ist mit beiden händen in den adretten
ausschnitt ihres kattunkleides gefahren, das antlitz des geflügelschoppers leuchtet in der farbe einer zellophanierten roth-händlepackung, der bratenvorschneider überlegt krampfig einen möglichen
berufswechsel, auch sein magerer tenor erscheint
ihm jetzt der rede wert; der homo von menüvor-

koster ejakuliert mit halbabgebissener zunge in lila eminenceslips, er sackt geräuscharm von der sitzbank; die dreizehn kartoffelschrubberinnen bewegen sich in *hasch*langsamem geschunkel, sechsundzwanzig augen, aller diesseitigkeit fern, weißblau wie ertrunkene bayerische bicoloren; die ältliche kaffeesiederin naht bedenklich den schrillen gefilden eines scheidenkrampfes; Elise, die zarte carotteuse erlebt lautlos wimmernd das mähliche erwachen aus kurzfristiger ohnmacht; der titanische hausschlachter vermag durch seinen ungeheuren tränenflor kaum mehr den sänger erkennen und vermeint sich vor einem stereophongerät; der rechte mittelfinger der kaltmamsell ist ohne scheu vorm ertapptwerden ganze zehn zentimeter über dem strumpfband in warmem fleisch gelandet und die sonst zurückhaltende unterköchin beschließt, über den oberkoch herzufallen, unvorbereitet, hemmungslos, auf gedeih oder verderb, eine messalina in schnürstiefeln, eine suppenblonde hildegunde der lust!

Oh!

Oh du grundgütiger himmel, du liebes walhalla, ihr reynogrünen ewigen jagdgründe, du allerstrebenswertestes nirwana, du bestrickendschönes elysium, ach einzig fescher asenolymp du, was dringt wie grauser kobenlaut an Rolph Labonzas ohr?! Er beugt sich, noch singend, so gut es seine

rodundität erlaubt auf seinem küchenhocker vor,
(wie kommt ein lebend schwein in die cuisine?)
ein hohes c gelingt ihm bleich, er wankt, er tau-
melt, stürzt, ein fetter aufprall reißt die lauscher
hoch! Was bisher feingebosselt rein aus freier kehle schwoll, nun wirds zu übermächtigem grunzen . . Die sau ist frei, uns gnad jetzt orpheus!

Hier, in der küche, unter dem schönen hocker,
sinnreich verborgen, unsichtbar wie ein meister-
dieb in der monegassischen nacht, der teuflische
lautsprecher – dort droben, im turmzimmer, sech-
zig meter über dem meeresspiegel, deftig, in
schwarz und chrom, das hübsche mikrophon . .
Hier, ein vor der zeit gefallenes notenfaß, die finger in den ohren, die jacke geplatzt – dort droben,
das kluge schwein mit geblähten backen, morgen-
berockt, auf den hinterbeinen stehend . .

Frevlerischer graf, leeres knopfloch des gesanges, kannibale im musenhain, erbärmlicher grunzbojar, sauborstensamurai du, erbleiche, erröte,
verfärbe dich über dein tun, beflecker, bemakler, be-
sudler du, welch armselige rolle, welch triste figur,
welch klanglose taste eines gottverlassenen pianos,
zu viel wind machtest du für das kurze hemd deiner fiesen arroganz, pfui, schäm dich in den arsch
hinein, o daß dir ein krachledernes do re mi fa so la
si do den rüssel poliere, ja wo käm denn da die welt
hin, wenn jeder so wär wie deinesgleichen?

# Auftritt eines rowdys

Ein sonntag beginnt nicht, er bricht aus, grausam, unbarmherzig, roh wie eine dumpfe bestie, und zwar schon am samstag, wenn die läden schließen. Ein ausbrechender sonntag fängt mit bewölkungszunahmen an, versucht sich später in sonnigen perioden, die indes doch nur einen tinnef wert sind, setzt sich in regenschauern fort und endet fast immer mit halbschwülen abenden, derer man sich jahre nachher noch wie eines unauslöschlichen alptraums entsinnt. Gräßlicher sonntag gräßlicher!

Er entsann sich ebenfalls eines sonntags, der ihm wie ein verschwitzter fremder hut vorkam, ein hut, der einem gar nicht gehört, den einem ein straßenrowdy in die stirne drückt, mit vorgehaltener pistole, unter todesdrohungen, die er zwischen zuchthäuslerisch zusammengepreßten lippen hervorstößt, *den hut auf oder es knallt, schwager!* Eine ziemlich unsinnige vorstellung das, aber es kann passieren; was nicht alles passiert oder sogar schon geschehen ist, die welt gefällt sich in wiederholungen, manches passiert drei viermal, duplizitäten, triplizitäten, alles blödsinn, aber wie sich dagegen wehren? man dürfte ja geradezu nicht mehr ins freie hinaus, luftholen, atemschöpfen, sich die beine vertreten . . Oder der rowdy dringt unter einem lächerlichen vorwand in das zimmer ein, das man eben bewohnt; sie wissen doch: verzeihung, bin ich hier recht bei schningsdangs oder so? Und schon sitzt ein schuh zwischen tür und angel, es ist kein engel, kein vertreter, kein gottsucher – es ist der rowdy mit dem verschwitzten hut und der seltsamen vorstellung noch seltsameren humors – er verpaßt einem einen ekelhaften filz, den man nicht ums verrecken zu tragen gewillt ist, den zu tragen aber der wille eines berevolverten unterkerls ist, so eine hirnrissige vorsehung in das haus, die treppen hoch, vor die türe, in das zimmer geschickt hat. Den hut auf oder es knallt! Eine schlechte kinophrase – oder eine gute? Jedenfalls überaus übel mitspielend, wenn in natura angewendet . . Mein herr, ich frage sie mit der hand auf dem herzen: wie würden sie in solch einem falle reagieren? Edle haltung? Nonsens! Her mit dem revolver? Selbstmord! Freundliche unterwerfung ins unvermeidliche? Scheiße! Was hinterher mit diesem makel auf dem brustlatz der seele? Oh, man ist ausgeliefert; warum hat man das karate nach drei kursstunden wie einen romantischen säbel an die wand gehängt? Warum ist man kein gefürchteter maffioso, ein mann mit sardonischer havanna namens Calogero Dingsbums? Oder der papst in panzerwagen mit kugelsicherer weste? Warum nicht der rowdy persönlich, dem so was nie zustoßen kann, weil er es selbst schon eher an anderen ausführt? Man kommt aus dem lichtspielhaus Alhambra, eine dunkle straße des nachhausewegs, die wenigen besucher verlieren sich in londonähnlichen fogs und spärlichen neonlichtleins.. plötzlich schritte! Der asphalt oder das katzenkopfpflaster glänzt, man will sich nicht umdrehen, dreht sich aber um.. Da ist keiner – aber mit dem ängstlich herausgedrückten gesäß rempelt man an den aus nebel und nässe auftauchenden rowdy, ihn so der ohnedies geringen mühe enthebend, einen plausiblen grund für sein nefastes eingreifen erfinden zu müssen. Autsch, schreit der rowdy, autsch, sie lümmel, haben sie keine augen im kopf?.. Oh, pardon, ich dachte eben schritte hinter mir zu hören, stammelt man perplex, es war völlig unbeabsichtigt von mir!.. Der rowdy grinst sein hämisches rowdygrinsen, man kennt das aus hundert kinovorstellungen. Wie, beabsichtigen wollten sie das auch noch, sie gangster? Hören sie mal gut zu, freundchen (oder: hör mal gut zu, freundchen!). An einem tag, so wie heute, bei nacht und nebel, da mache ich meistens nicht viel faxen, wenn mir einer auf den wecker geht.. Und du gehst mir auf den wecker, freundchen, ich habe es satt, auf schritt und tritt von deinesgleichen angepöbelt zu werden, ich werde dir schon beweisen, was es heißt, einem unbescholtenen menschen mit dem arsch in den bauch zu fahren!

Und er zieht den bewußten hut aus dem inneren seines zwielichtigen jackets, fuchtelt mit jenem nauseaten, schweißdurchtränkten filz durch die dunkelheit der vorstadt, kein mond, kein stern, keine blendlaterne eines hilfreichen privatdetektivs, kein treuer hund, der böses ahnend nachgefolgt ist und nun eingreifen wird . .

Für dich gibt es nur eine wahl, freundchen: entweder du setzt das ding hier auf deine birne, oder, hol mich der teufel, ich pfeffere dir ein halbes schock blauer bohnen zwischen die rippen (oder: in die kaldaunen)! Neben der ungustiösen hutkrempe hebt sich ein kaum erkennbarer schemen ab – die mündung eines häßlichen, bulligen revolvers.

Man ist selbst kein rowdy, man hält alles, wie das eben hierorts vorfallende für einen albernen scherz, für den kurz aufkommenden maulhelden in der psyche eines trunkenbolds, für einen verspäteten karnevalswitz. Ein stoppelrevolver, eine moderne plastikattrappe – aber da klickt es so gefährlich, da funkelt es in den gnadenlosen augen des rowdys wie von kalten streichholzflämmchen, aus der herbstlichen straße zieht der schlammige moder der kanäle, kein hund knurrt zu deiner befreiung, keine blendlaterne schießt wie kühne seide in die fratze des unholds, kein stern besänftigt, kein mond verscheucht .. Der schuldlose passant ist *ausgeliefert* und der rowdy erklettert genüßlich die letzten sprossen der magirusleiter seines billigen triumphes. Hier, der hut, und aufgesetzt oder es kracht!

Ja, leicht hat es so ein rowdy. Wie aber hat es der überfallene? Von schwer haben kann da überhaupt nicht die rede sein – eben noch aufatmend der traumhaften halsklammer eines horrorfilms entronnen, jetzt schon wieder in der klaue eines herzbeklemmenden würgegriffs. Wo bleibt die wahrheit, wo die dichtung? Die grenzen ziehen verschwommen durch sein hirn wie tinte, die auf eine lache milch gerät ..

Der hut, eine waagerechte gloriole aus schlechtem dunst und juckenden transpirationsflecken, schwebt über dem haupte des überfallenen, um sich auf dessen mögliches affirmativ bereitwilligst zu senken, was auch sollte man sonst, denn ja sagen; eine revolvermündung an den nieren ist kein eis am stiel, freunde! Oder doch! Ha, Moribundo, die ehre! Selbst ist der gentleman, er kennt keine hinterlist, seine sprache ist die faust von vorne, nicht die bierflasche von hinten; ein mann, der in der Gascogne gelebt hat, einer der die kymrischen gebirge in gummistiefeln überquert hat, ei-

ner der die sumpfigen lande der donaumündungen
mit der botanikerlupe erforscht hat – und nun:
würde er sich tatsächlich dem bündigen diktat eines
nokturnen stracholders fügen? Wenn doch noch
ein mond auftauchte, ein stern erschiene, eine
blendlaterne trost böte, ein treuer hund aufträte,
um die absicht des rowdys zu vereiteln! Ihr Götter der abenteuer, ihr letzteminutisten, ihr derzu-
fallwolltessohabens, ihr dochnochhappyenders, wo
seid ihr? was hat man von euch schlußendlich zu
erwarten, wenn nicht rettung vor einem diabolisch
besudelten stinkfilz?!

Noch schweigt das opfer, ohnmächtiger grimm
zerfasert während bruchteilen einer sekunde sein
pochendes herz; wie in solch kurzen phasen rat
zu halten über das, was zu tun bereits zu spät ist?
Wie ein meteor, der aus dem all ins all schießt,
würde ein ja an der zustimmung vorbeigehen, der
unglückliche ephemär durch einen ungewollten
hut bekleckert, der rowdy durch einen blitzsieg
aufs äußerste befriedigt, kein kugelwechsel aus
kaltem metall in warmes fleisch, ein toter weniger,
ein steckbrief weniger, ein erwachen mit dem schönen ausruf *mein gott, ich lebe ja noch!* oder *ich
muß das alles geträumt haben!*

Ich leg ihn um, meiner treu, ich leg den burschen
um, er hat mich beleidigt, ich leg ihn um! Die
milch des zornes des rowdies ist am überkochen,

der tee seines gräßlichen hasses brodelt nahezu über den topfrand seiner finsteren psyche, ein galliges gurgeln entringt sich seiner kehle – die suppe ist gar, ruft er schrecklich, jetzt löffle sie aus! Und mit dem, was sein kleiner revolver erbrechen wird, gedenkt er die speise zu salzen. Doch da glitscht er aus, ärschlings schlägt er hin, ungezielt steigt ein projektil gen himmel, ein feuerstrahl, senkrecht wie ein ehrlicher mann, dann die detonation: dumpf oder grell? was weiß man nachher? . .

Wer unrecht tut, steht auf scheiße, ohne es zu wissen – eine unbedachte bewegung des betroffenen fußes, eine durchaus minimale wendung der gummisohle, ein gleiten, ein glitschen – hilfe!!

Mit dröhnendem kopf erhebt sich, nein, rappelt sich der rowdy auf. Er ist der gelackmeierte, dies war sein erster fall von hoher leiter, ein höllensturz in hundedreck und menschenpisse, ein huttrick, der zum ersten mal versagt! Im osten graut ein übler mundgeruch von morgen, ein vogel miaut, eine katze piepst im traum, in neuen tavernen knipst man neue lichter an, in alten löscht man alte aus – ein verschweißter hut bleibt einsam auf der strecke.

Zauberkunststücke und gelockerte sitten

Falsche haut, sagte Mr. Panther zur pseudoharemsdame, die den equilibristen unter der bettdecke zu verbergen trachtete. Ihr entblößter busen schillerte magisch wie zwei elfenbeinene kugeln im museum eines reichen chinesischen mandarins. Jetzt rutschten die füße des klandestinen liebhabers am unteren bettende hervor, er trachtete irgendwie verzweiflungsvoll die decke durch krampfige manipulationen mit den zehen wieder zu erhaschen, es gelang nicht. Falsche haut, sagte Mr. Panther, ich weiß genau, daß du mich hin und wieder betrügst, mit andern in das bett steigst, dich mit ihnen auf ungehörige weise abgibst, dich abkrabbeln läßt, ihnen den bauch küßt, schlange im feuer spielst, leises wimmern von dir gibst, wenn du mich im nebenzimmer wähnst, und lautes geschrei, wenn ich auf tour bin. Du bist ein luder und ich traue dir doppelt so viel wie einem skorpion unter einer steppdecke, ja, Agnes, dein verhalten bedingt bei mir, daß ich sacksiedegrob werde, du elende spinne, du abgefeimte hurensauce, du dreckige bettviper, du perverse natter, du sabberndes lustwiesel! Er hielt erschöpft an, sein atem war nach diesem eiligen fünfetagenlauf gerade nicht in bester kondition, und wischte mit einem steckfoulard über seine heiße stirne. Mr. Panther war zwei meter groß und mit jener zurechtgestutzten bajadere verheiratet.

Der equilibrist unter der decke fühlte sich wie in einer zeltsauna, er hatte außerdem in der aufregung nicht umhin können, sich eines leisen, jedoch gewürzten windes nicht zu enthalten, und so kam es, daß er diese selbstverfaßte gaskammer im tiefsten seiner seele zu verfluchen begann. Nie wieder mazedonische küche! Diese bedeutenden worte zogen wie eine flimmernde leuchtschrift vor seinen tränenden augen, er haßte mit einem male die liebe zwiebel, den rassigen knoblauch, die feschen paprikaschoten, den treuherzigen pfeffer, das anmutige weißkraut, ja er verfluchte sogar die unschuldigen hände des ihm völlig unbekannten kochs, der, ohne zu wissen, was sich aus seinem äußerst orthodox gehandhabten tagewerk noch ergeben würde, nach all diesen vegetabilien und würzen gegriffen hatte. Mein seiltänzertum ist auf zeit und ewigkeit in frage gestellt, wenn ich daran denke, irgendeinmal so zwischen himmel und erde an diese meine momentane situation erinnert zu werden. Ich stürze ab, das publikum findet sich brüderlich in einem einzigen aufschrei, mein bisheriges leben zieht in sekundenschnelle noch einmal an mir vorüber, und aus ist es, ich bin pet-

schiert, tod in absterbensamen, eine formlose masse aus fleisch und straßbeflittertem jersey, ich kann
mir meine knochen zusammensuchen und nume-
rieren lassen, meine langjährige ausbildung ein
schuß ins leere, meine drei unmündigen töchter
waisen und opfer für ziegenböcke und hengste,
leckdumichamarsch ich muß heraus da, ob sich
Mr. Panther jetzt die frackbrust mit asche anfer-
kelt oder Agnes wider mich die zähne fletscht, mir
ist das absolut rülps und wurst, ich brauche luft,
ich bin kein raubmörder, kein ostspion, kein
kindervampyr, kein stadtparkunhold, kein .. ach
was!

Mr. Panther, ein illusionist von format, hatte
sich soweit wieder gefaßt, um seine unterbrochene
tirade fortzusetzen. Agnes, sagte er, Agnes, du
weißt genug um meine übernatürlichen kräfte, es
kann dir keineswegs unbekannt sein, daß ich nur
mit dem kleinen finger meiner linken hand zu
zucken brauche, um aus dir ein geständnis heraus
zu holen, eine beichte, die dir vor allen rechtschaf-
fenen und ehrlichen kollegen den rest gibt, gib
also zu, was zuzugeben ist, freiwillig, reumütig,
ohne hemmungen, denn diese passen ohnedies
nicht zu dir, berichte mir deine vergehen bis ins
kleinste detail, addiere die schleimigen ziffern deiner schweinereien, erstelle die endgültige summe
deiner matratzenoutragen oder – und hier sank sei-

ne stimme in die abgründe eines drohenden ge-
zischels – oder ich zwinge dir meine forderungen
kraft meiner übernatürlichen begabungen ab, ver-
öffentliche deine abscheulichen laster in der heu-
tigen vorstellung, gebe dich der publizität eines
weiblichen monsters preis, mache dich unmöglich,
werfe dich in die gosse, tranchiere deinen ruf im
zirkus zu gulaschfleisch, ragoutiere deinen namen
zu einem versalzenen fraß, daran du wie ein
knallbonbon zerplatzt!

Irgend etwas platzte jetzt tatsächlich: ein eher
dumpfes, fast fernes geräusch, ein ton aus alter
vergangenheit, von einem magier wieder zu kurzem leben erweckt, nicht unähnlich dem krachen
einer im meere explodierenden granate, ein schrap-
nell aus gekochten gemüsen und raffinierter zu-
tat. Auch frau Agnes hatte eine weile zuvor in
dem von unserem seiltänzer besuchten balkanlo-
kal gespeist. Mit einem schrei des puren entset-
zens schnellte der unverhüllte akrobat aus dem
bett jener wohlfeilen laster, sprang mit einem sal-
to mortale, der selbst ihm, dem könner, zur ehre
gereichte, durch das geschlossene fenster und blieb,
ohne von Mr. Panther überhaupt gesehen worden
zu sein, im mondlosen dunkel der nacht verschwunden.

Was war das? flüsterte der erbleichte tausendsa-
sa der zylinder und täubchen. Ich, antwortete

(nun zum ersten mal) die erleichterte ehedame, (und das mit doppelter erleichterung), ich, und in diesem einzigen wörtchen lag eine ganze welt von gemeinstem zynismus; sie sagte es einfach so dahin: ich . . und nach einer wunderbar perfiden kunstpause: ich, Agnes, die diesen meinen ragoutierten namen fraß und daran zerplatzte . .

Der akrobatische adam hatte, das versteht sich von selbst, im sprunge eine fabelhaft straffgespannte wäscheleine erreicht und spazierte nun über eine schauerlich gähnende tiefe. Seine befürchtungen, die er während seiner zwangsverschickung unter die altrosa bettdecke gehegt hatte, hatten sich keineswegs erfüllt; die frische nachtluft war in seine lungen eingedrungen wie kühles bier durch die gurgel eines geretteten saharaopfers. Er schritt seinen weg, kein schwindel traf seine kühlumfächelten schläfen, er dachte erleichtert an das hinfürdere schicksal seiner drei unmündigen töchter, die nun doch noch zu von ihm beschützten wesen großwachsen würden, schickte in aller hast ein dankgebet zu Unsrer Lieben Frau von den Zirkuskuppeln und gedachte mit einiger wehmut der warmen flanellunterhose, die er infolge seines abrupten abganges hatte liegen lassen müssen. Es war gegen ende oktober und, hier in der stadt Werchojansk, bereits empfindlich kalt.

Mr. Panther stand in seiner behelfsmäßigen

garderobe und band eben seine weiße frackschleife zurecht, er mußte das fast immer in gebückter stellung tun, ich erinnere hier an die eingangs erwähnte statur des illusionisten: er war, wie es in jenem bekannten schüttelreim heißt, *von wuchs ein leibesriese.* Er war nun mit seiner schleife fertig, schwang seinen tadellosen zylinder über den scheitel, ein erstes klingelzeichen gemahnte ihn an seinen baldigen auftritt, als es ihm urplötzlich wie schuppen von den augen rasselte: Die weiße, fremde flanellhose zu füßen seiner verdächtigen frau! Es war ihm bis jetzt nicht so recht zu bewußtsein gekommen, daß es sich hier um das ungeheuerliche relikt eines ehevergehens handeln müsse. Teufel, rief er mit der stimme eines begossenen pudels, teufel, jetzt schlägts aber freitag, sie hat mich wiederum hineingelegt, diese fickprimadonna! Er schlug die hände überm kopf zusammen, zertepperte dabei seinen glanzvollen zylinder, versuchte ihn unter häßlichen bemerkungen in seine eben noch gehabte form zurecht zu drükken, sein feiner stock, den er unter dem arm in waagerechter stellung hielt, stieß gegen den garderobenspiegel und verursachte solcherart ein spinnenförmiges celebes von sprüngen, er kam mit einem seiner schuhhacken auf einem entfallenen weißen handschuh zu stehen, dreckte ihn selbstredend ein, suchte zwei täubchen zu fangen, die, wie es sich gleich darauf herausgestellt hatte, aus der angeschlagenen angströhre entflogen waren, erklomm in verfolgung dessen einen wackeligen stuhl, rammte die ungeschützt baumelnde glühbirne, das licht erlosch, der stuhl brach krachend zusammen, das klingelzeichen zum auftritt in die große, von jedermann erwartete magische sensation durchbrach die häßlichsten superlative aus dem munde des desillusionierten illusionisten.

Bajadere Agnes hatte um just diesen augenblick ihren bauchtanz hinter sich gebracht und war erleichtert in ihre garderobe zurückgehoppst. Sie schlug die türe hinter sich zu, ließ sich auf den mit angorawolle bezogenen hocker gleiten, öffnete den stets etwas zu engen beha und stippte mit zeige-, mittel- und ringfinger kräftig in die abschminke. Geschickt verteilte sie das glitzernde toiletteschmalz auf ihr hindubraunes antlitz, eine verrichtung, die ihr seit jahren bereits in fleisch und blut übergegangen war, ein alltägliches tun wie etwa der griff nach der zahnbürste oder die selbstverständliche betätigung der clostrippe, keine besonderheit, kein erlebnis, kein abenteuer – oder doch? Diesmal doch? Ach du liebes bißchen, bin ich jetzt verrückt oder werde ich farbenblind? Ein gorilla soll mich von hinten bummsen, wenn das nicht spinat ist! Sie leckte den über und über grünen zeigefinger interessiert ab. Tatsächlich, kalter, ungesalzener büchsenspinat, bei jedem schlechteren krämer zu erhalten, aufzubessern mit sahne, magenfreundlichen salzen, minimalen mehlschwitzchen, pfeffer, spiegelei drüber, was viel hin und her: ein magischer racheakt, das wußte sie ohne einen nickelkneifer aufsetzen zu müssen, ihres eifersüchtigen mannes, lächerlich billig wohl, aber dennoch als warnung nicht außer acht zu schlagen, wußte sie nur zu gut, um die Mr. Panther zu gebote stehenden übernatürlichen kräfte, die ihm zwar nicht nach eigenem belieben, so aber doch von zeit zu zeit in den schwarzlackierten zauberstab fielen. Sie blickte nach der dose, in der sich die abschminke befand: weiß und glitzernd wie weiches, reines schweinefett blinzelte sie ihr entgegen. Sie fuhr mit dem ringfinger ein wenig in die oberfläche jener nützlichen materie – sogleich breitete sich appetitlicher spinat über der fingerkappe aus. Das war alarmierend; Mr. Panther schien sich, einem mond gleich, im zunehmen zu befinden. Zuerst würde es noch läppisches schabernacktreiben sein, bald aber schon gefährlichere masse zeitigen, endlich jedoch in unsagbar dunkle schamanismen ausarten, bei denen ihr bereits im gedanken der atem stockte. Sie hatte mitnichten jenen tag vergessen, noch spürte sie ihn wie eine scharfbeißende ameise in ihrer spina, da sie dieser hin-und-wiederhexer in eine fette mastente verwandelt und ihr hernach auf die schändlichste weise von der welt gewalt angetan hatte. Sie schauderte, als sie das gesicht unterm wasserhahn sauber waschen wollte und ein strahl verdorbener weinessig in ihre handflächen schoß.

Mr. Panther war mit gräßlicher verspätung in die manege gestürzt, die musik spielte den tusch noch ein zweites mal, der kapellmeister warf ein entsetzlich böses auge nach dem saumseligen magier, der sich, indem er über einen ihm gehörigen schwarzen kasten stolperte, zu einen lächerlichen clown degradierte. Das publikum johlte zufrieden, dachte jenes peinliche mißgeschick im auftritt inbegriffen. Mr. Panther lief wie eine violette zwiebel an, faßte sich aber gleich und zog den lädierten zylinder, dem sofort die gesamte taubenschaft vor der zeit entschwoll; er ließ es mit zusammengebissenen zähnen hingehen, der täubchenakt war ohnedies schon futsch, hauptsache, es würde mit den karnickeln klappen. Von sechsundzwanzig weißen schwingen umschwirrt stand er nun ganze zwei meter hoch da, verkündete unter vertepschtem zylinder das erscheinen seiner dressierten kaninchen, guckte in seine linke, in seine rechte manschette – da sind sie nicht . . aber vielleicht sind sie da? Er klopfte mit dem zauberstäbchen nach der gestreiften wade seiner modehose – vielleicht gar da? Nein! Und das gleiche an der rechten wiederholend: Oder gar da? – Nichts kam. Der magier lief nun grün an und das publikum begann mit leeren bierdosen zu werfen, wenn ihm jetzt auch der dritte versuch mißlang, war er erbarmungslos geliefert, konnte seinen mirakelzylinder an den nagel hängen, meinetwegen als barabernder transportprolet ein neues, noch entbehrungsreicheres leben beginnen, die welt würde ihm schwer wie ein rucksack voller eiserner melonen werden, ein wahres jammertal aus schweiß und schwielen. Er dachte knirschend daran, wie sich seine liebe gattin die händchen reiben würde, und er, durch dieses fiasko gewiß nie mehr zu wunderscherzen befähigt, den frack mit dem blauen over-all vertauschen müßte, ein spott für das internationale show-geschäft, und seine frau das beliebte gspusi für Krethi und Plethi, für Hinz und Kunz, für Tom, Dick und Harry! Von donnernden hahas und hohos verfolgt stürmte er aus der manege – es war nicht Amores pfeil, der ihm dabei schmerzend im hintern stak, sondern die angst vor einer zukunft, in der er sich nicht mehr für seine hörner rächen können würde . .

Flieger, grüß mir die sonne . .

Seine drei großen trümpfe waren ein wasserkopf, eine hasenscharte und abstehende ohren mit angewachsenen läppchen. Seine drei großen sehnsüchte, ein weiberheld zu sein, den flugschein zu besitzen, in kasinos die banken zu sprengen. Er ließ sich daher bei Sykora & fils, maßschneider, zwanzig anzüge bauen, fälschte eine legitimation, die ihn als fertigen piloten auswies, behob das ansehnliche sparkonto seines ziehvaters und fuhr mit der bahn erster klasse in das nächstbeste seebad, wo er sich unter dem namen René de Clavigny in einem dreisternhotel einmietete und guten muts den kommenden dingen entgegensah.

Es war anfang juni des jahres, prachtvolles wetter, die see von der feinsten schattierung altmodischen waschblaus, die luft chemischgereinigter ozon, die damen in den abendlichen bars mit abstand die schönsten der letzten dezennien – und, das beruhigte ihn in tiefster seele, kein flugplatz im umkreis von hundertfünfzig kilometern. Er war fabelhaft gekleidet: ein tadellos geschnittener dunkelblauer marineblazer verbarg meisterhaft seine schiefe schulter, ein genialisches korsett verteilte seinen jugendlichen spitzbauch so, daß dieser erst gar nicht zum vorschein kam; kein mensch, ja nicht einmal der allesdurchdringende blick eines Holmes hätte seine affenhaft behaarten, pusteligen o-beine unter den schnittigen flanellhosen vermutet. Und die spiegelblanken schuhe, die er trug – oh nein, keiner menschenseele wäre es aufgefallen, daß sie ihren herrn und meister um ganze sieben zentimeter vergrößerten.

Sein dichter, buschiger schnurrbart war dunkelblond und falsch wie sein künstlich von wind und wetter patinierter flugschein, sein toupet durch ein völlig neu auf dem schönheitsmarkt erschienenes haftmittel gegen die unbilden allfälliger hurrikane und taifune gefeit, seine stark basedowbeeinflußten augen so vorteilhaft geschminkt, daß sie eher dämonisch-tief wirkten, augen voll dunklen feuers, das auch nicht durch die unauffälligen haftschalen an männlichem glanz verloren oder gar einbüßten. In einem wort, er war ein junger mann, dem trotz dieser eben angeführten minimalmängel die begeistertsten blicke der ihn umgebenden weiblichkeit zuteil wurden.

Er gab sich auch als tiefempfindender poet, ein geheimnis, das er sich nach einigem schamhaften zögern gerne entreißen ließ. Seine taktik war (er verstand als geborener Elsässer genügend deutsch), die prosagedichte des unglücklichen Rimbaud aus der deutschen übersetzung wieder ins französische

zu übertragen – keiner der üblichen durchschnitts-
versager merkte diesen charmanten schwindel,
und man zollte ihm den tribut, der einem beinhar-
ten sportflieger, der dennoch ein feiner dichter ist,
zusteht. Und das mit recht, denn er ließ seine ab-
gründigen texte stets durch eine in jenem seebad
zur kur weilende ältere schauspielerin vortragen,
seine geschickte ausrede war die, er sei, obwohl zu
vielem, so doch nicht zum deklamator geschaffen,
da er aufgrund eines schrecklichen jugenderlebnis-
ses an einem leichten s-fehler litte. Tatsächlich
hinderte ihn seine geschickt überschminkte hasenscharte (oder war sie mit rosa leukoplast talentiert
überklebt?), das bewußte stimmlose *s* auszusprechen – es wurde stets ein vortreffliches *th* in der
londoner spielart, also ein ordinäres *ff*.

Rosa Luxemburg war eine bildschöne frau ver-
glichen mit herrn de Clavigny, sagte unter vier
augen herr Duhamel, ein gebildeter alter grand-
seigneur aus der gegend um Valognes, wo er ein
ansehnliches rittergut besaß. Er war genau der
typ, der von den neuen kleidern des kaisers nie
etwas anderes sah als einen nackten arsch und ein
baumelndes schrumpfgemächte. So auch im falle
*de Clavigny*. Aber sein gegenüber (man saß im
foyer des Hôtel d'Angleterre et de Brésil) begehr-
te wider diese behauptung auf, nannte herrn Duhamel denn doch zu reaktionär, solche vergleiche

entbehrten des guten geschmackes, Rosa Luxemburg sei im grunde eine äußerst pikante erscheinung gewesen, und was herrn de Clavigny beträfe, so sei dieser, wenn auch kein Adonis, so doch ein mann von mittelblendendem aussehen, sportif, gebildet und ungemein einnehmend, was seine erscheinung beträfe. Damit basta!

René de Clavigny (seinen wahren namen wollen wir hier auf diesem unschuldigen papier lieber verschweigen – er übertraf die kühnsten erwartungen möglicher feinde) hatte im augenblicke dieses dialogs einen schluckauf, der ihm das grüne angesicht eines wetterfrosches verlieh, der eben von seiner leiter gestürzt war. Dieser umstand hat natürlich in keiner weise mit dem abgenutzten wahnglauben zu tun, demnach die zielscheibe eines vorsichgehenden klatsches von schluckauf oder ohrenläuten heimgesucht wird. Der grund dieses häufigen zwerchfellphänomens bestand in einem zusammentreffen de Clavigny's mit einem schulkameraden, der plötzlich, wie ein diabolischer staubpilz aus dem feinen sand aufschießend, vor dem leistenbrüchigen sportäronauten stand, als dieser in blendend weißem tropendreß über den strand spazierte. Beide erkannten einander sogleich, doch lag die peinlichkeit des erkennens zu hundert prozent bei herrn de Clavigny oder der teufel verschweige es im asphaltenen brustkasten, wie er wirklich hieß. Alain Bondieu, der sieben jahre hindurch mit krchpfrrchpfrz die klassenbank gedrückt hatte, erweiterte sein hämisches gesicht durch ein breites grinsen. Er war etwa zwei meter groß, mager, hatte dunkles, gelichtetes haar, das ihm in schütteren locken tief bis über die schultern reichte; er trug gebatikte blue-jeans, die dreck vortäuschen sollten und tatsächlich dreckig waren, und ein eierschalenfarbenes t-shirt, das am rücken die inferno-nazarenischen gesichtszüge Charles Mansons aufwies. Der liebe alte Krchpfrrchpfrz, sagte er zwischen zwei rülpsern, die de Clavigny wie faules weißkraut über die haftschalen strichen und diese mit einem feinen, schwefeligen dunstbeschlag belegten .. der liebe, gute alte rekordwichser aus der *sechsten*! Ganz schön gemausert hast du dich ja, junge! Ganz in weiß wie ne braut! Er behöhepunktete seinen satz durch ein furzartiges geräusch, das er mittels seiner zusammengepreßten negerlippen hervorbrachte.

de Clavigny, so baff er auch war, ließ sich seine maßlose bestürzung nicht anmerken. Ein ausgeleiertes, abgehalftertes *Ich kenne Sie nicht, mein Herr! Lassen Sie mich zufrieden* .. folgte Bondieus artifiziellem furz, und mit einer angewiderten kehrtwendung entzog sich die *braut ganz in weiß* dem hohnvollen blick des jungen mansoniten. Er zog, soweit es ihm seine kaschierten o-beine erlaubten, graden und aufrechten gangs von dannen.

Wir sehn uns heute abend im St. George, tschüß bis dahin! rief ihm der böse Bondieu hinterher und kratzte sich grinsend am sacke. de Clavigny durchzuckte es wie heiße magmapartikelchen, er bekam plötzlichen stuhldrang, seine mundhöhle trocknete zusehends aus, als hätte er kreide zerbissen, er beschleunigte seine schritte, was in dem tiefen, dünenfeinen sand gar nicht so leicht war, er sah die fernen internationalen flaggen und fahnentücher, die am promenadenkai in einer frischen brise flatterten, er dachte an sein bisheriges glück-gehabt-haben und verwünschte die idiotische idee, einen strandspaziergang unternommen zu haben; es wäre besser gewesen, einen leichten autounfall vorgetäuscht zu haben, um eine woche nicht aus dem hotelzimmer zu müssen. Dieser ekelhafte lümmel mit seinem sakralen jointgeruch wäre in acht tagen bestimmt wieder abgezogen. Aber so . .

Gegen abend hatte sich herr René de Clavigny soweit wieder gefaßt. Man würde diesen Bondieu, das war ihm wie eine bescheidenere heilsbotschaft in den sinn gekommen, doch erst gar nicht ins St. George einlassen, natürlich besaß ein mensch und drogist wie sein alter klassenkamerad Alain die chuzpe, überall dorthin zu gehen, wonach sein provokationslüsterner ungeist strebte, allein er wußte auch, daß McEwen, der hünenhafte rausschmeißer der im St. George Hotel beherbergten Scotch-Bar, ein Koreaveteran unter anderem, bei solchen typen nicht viel federlesens machte; erst kürzlich war er zeuge gewesen, wie dieses gestandene mannsbild von Amerikaner zwei lästige gäste vor die türe und auf den benachbarten rasen expedierte. Und die beiden herren waren zwei bayerische berufsboxer gewesen.

Der schöne Clavigny, welchen namen er bereits mit stolz zu unrecht trug, war seiner sache beinahe zufrieden, er räkelte sich, so gut ihm das gelang, lässig auf dem barhocker, ließ sich von mixer Tony feuer für seine Chesterfield geben, ärgerte sich eine sekunde im stillen, weil Tony's dunhill-lighter aus purem gold war, nippte an seinem whiskysoda und paffte tadellose nikotinringe an die dunkle holzdecke der intimen herrenbar, eine kunst, die er tatsächlich durch jahrelanges üben gelernt hatte und die ihm gut und gerne die halbe lunge gekostet hatte; aber was ein richtiger flieger ist, dem schenkt das leben nichts, ein draufgänger haut auch ein dreiviertel seiner innereien auf den tresen, kleingeld alles, und wenns ans große geht, why not? Flieger, grüß mir die sonne, grüß mir die sterne und grüß mir den arsch, dein leben, das ist ein schweben in die fernen die keiner bewohnt dideldum! René de Clavigny hatte bereits seinen siebenten whisky-soda hinter die makellos gebundene schleife seines mitternachtsblauen abendanzuges gegossen, er sah die untergehende sonne vor seinem geistigen auge, die glitzernde eisbahn der sterne und den mond in verkleidung eines nackten weiberderrières. Er war, wie man bei schnösels sagt, fabelhafter stimmung; gegen neun, es war jetzt genau halb neun, würde Agneta Tigges kommen, sein neuster schwarm, ein deutsches mädel, das ihn – seiner meinung nach – anbetete, die zu verführen er sich vorgenommen hatte, im dunkeln, versteht sich (er fühlte sich im geheimen impotent und hatte als abhülfe für dieses peinliche, nicht umzubringende sentiment während einer sex-messe im niederrheinischen Lobberich ein praktisches instrument erworben, das ihn, wenn diskret angewendet, dieser sorge fast zur gänze enthob). Tja, *a man for all seasons*, wie man über dem kanal sagt, wenn es sich um einen kerl wie de Clavigny handelt, ein tausendsassa am steuerknüppel, warum sollte der nicht auch anderes knüppelzeug hantieren können dideldum!

Mixer Tony, ein fünfunddreißigjähriger schwuler mit guntersachskotletten, goß beweglich den achten whisky-soda ein und plazierte das schrekkensvolle zeug on the rocks trällernd vor de Clavigny's linken ellenbogen. Ein gemormel (wohlgemerkt mit *o*, denn *u* wäre in diesem falle zu auffällig gewesen) erhob sich in der viktorianisch getäfelten bar. Das tadellos gepflegte schuhwerk der anwesenden herren sank geflissentlich von den vornehm abgenutzten messingstangen, man stemmte sich nicht verkehrt an die bar, man richtete sich vielmehr in voller größe vor ihr auf, aller augen waren auf den eingang in dieses sanktuarium der männlichkeit gerichtet, man hielt die gläser mit altmodischer liebenswürdigkeit in der vollen hand, man lächelte fein, gradeso als hieße es »Madame . .« und zog unter einer leichten verbeugung die durchschwitzten hosenträger um einiges strammer. Agneta Tigges, deutscher vater, schwedische mutter, war eingetreten – eine viertelstunde eher als abgemacht, wie flieger Clavigny mit genugtuung in der leistengegend feststellte. Rumpsdidelbumms, da kommt sie, die schöne nutte, der langbeinige schwanzfriedhof, der paradearsch, meine minivalkyrie in reizwäsche, meine meisternucklerin, mein schnuckeliger wackelbusen, mein schlafzimmerjuchzer . .

Der flieger im vollen sicherheitsgefühl seines amerikanischen patentbruchbandes unterdrückte gekonnt einen jonnywalkerbedingten magenwind, der ihm wollüstig gurgelwärts hochgestiegen war, und stellte sein halbvolles glas ab. Tony zog ein eher gequältes gesicht und begann mit einem

pflichtschuldigen lächeln – er war natürlich, wie
alle schwulen, – weiblichen reizen ausgesetzt wie
der holzschnitteufel vatikanischem weihrauch.

de Clavigny verneigte sich gleich einem zweiten
proust in einem zumindest cambremer'schen salon, konnte es bei dieser huldigung jedoch nicht
verhindern, daß ihm eine mehrzahl der knöpfe
seines korsetts absprangen und den weg alles perl-
mutters gingen, nämlich, da sie sich an seinem
rückgrat befanden, stracks *down* durch das tal
josaphat seines mickrigen gesäßes. Er bedauerte
diesen zwischenfall still und aufs heftigste und hub
mit fliegerischer grandezza an: Mademoiselle – oder
darf ich sie um diese vorgerückte stunde einfach
Agneta nennen? Meine freunde nennen mich Agi!
Und darf ich mich zu diesen zählen? . . Er berührte bei diesen worten zart Agneta Tigges' linken
arm und schob sie behutsam in richtung bar, hinter der ein malträtierter Tony die leibhaften züge
einer morosen Moreau anzunehmen begann. Jedem fühlenden menschen hätte dieser anblick das
herz zusammengeschnürt, doch de Clavigny, der
sich als gelandeter sieger glaubte, blieb hart wie
Lindbergh. Flieger, sagte er sich, dein doppel-
decker steht frischgetankt vor dem hangar dideldum, rin in die kiste, steuerknüppel zwischen die
schenkel, und rauf in den äther so blau so blau
dideldum! Er konnte allerdings nicht verhindern,

daß ihm als untertitel zu diesem enthusiasmus die luft zu einer künstlichen wade mit pfeifendem geräusch leck ging.

Es war echt russischer vodka, mit dem mademoiselle Agneta diesen frühen abend einweihte, sie war ein wenig snob, whisky no, vodka yes .. Nach dem vierten glas war sie bereits zutraulich und bester laune: hör mal, René, sagte sie, wollen wir wirklich den ganzen abend hier verbringen?

Bitte um einen vorschlag, mademoiselle, entgegnete galant wie ein waschmaschinenvertreter de Clavigny, die dame befiehlt und der herr gehorcht. Ein nackter neger würde sich über eine gemusterte badehose nicht weniger gefreut haben als der halbwadige pseudolindbergh über diesen so gelungenen satz. Ich würde liebend gerne ins Mecca Dancing hinüber, diesem schicken pavillon am promenadenkai, du kennst ihn doch!

Der kavalier schweigt und wartet bis er gefragt wird, antwortete de Clavigny alias Krchpfrrchpfrz bedeutungsvoll und beglich seine rechnung bei Tony, während ihm die zweite wade mit leisem, aber dennoch unanständigem geräusch auf ein schäbiges anhängsel zusammensank. Sein nächster blitzgedanke war ›schifferscheiße‹, und da war es wieder, das saharagefühl nach verspeister schulkreide. Aber er ermannte sich wie der alte Lindbergh über der Irischen See.

Aufregende wörter durchwühlten ihn, als er mit der wonnebolzigen Agneta durch die grünanlagen, die das St. George von der um diese tageszeit stark *fischelnden* strandpromenade trennte, wörter wie vögeln, rummsen, pinkeln, scheißen, furzen, remmeln, titschkerln, pudern, pempern, ficken, bummsen und derlei mehr, natürlich in französischer sprache, denn René de Krchpfrrchpfrz war bürger der großen nation, und diese sprache mildert, verfeinert, kultiviert all das, was ich hier in meinem vernaculären deutsch nur mit einem anflug von schamesröte notieren darf.

Ein fetter, obszöner vollmond wuchtete über der sterneüberglänzten see, der nächtliche flieger hatte seinen mageren arm um Agnetas schwellende hüfte gelegt, gemeinsam traten sie vorsichtig in den zwielichtigen kies, der bei jedem schritt traulich knirschte, das beinern grüne licht des trabanten, der neckisch wie ein gutgemästetes schwein durch die dunkle flut des himmels schwamm, hielt sie umfangen und geleitete sie, wie beide dachten, sicher in die rasante modernität des Mecca Dancing, deren anglo-indische kuppeln bereits deutlich sichtbar geworden waren. Ferne geigen winselten, pianofetzen ritten durch die erfrischende nachtluft, eine kathedrale des 14. jahrhunderts schlug irgendwo das viertel vor zehn; lange bleibe ich ohnedies nicht in diesem schuppen, dachte de

Clavigny, und er wollte weiterdenken – allein das schicksal, kismet, wie der beduine sagt, wollte es anders: die entseelte wade seines linken beines hatte sich gelöst und fing an, langsam, aber mit bestemm durch das hosenbein zu rutschen, und schließlich war es so weit, daß er das ekelhafte ding wie eine tote monsterratte hinter sich herschleifte. Verdammt und zugenäht, diese pneuprothese dachte nicht im mindesten von seiner ferse zu weichen, er versuchte mit seinem entwadeten bein diskrete zucker, er tat, als kicke er steine und allfällige obstreste beiseite, vergebens, die altrosa kautschukwade schien sich vorgenommen zu haben, von de Clavigny aufs tanzparkett geschleppt zu werden.

Die aufregenden wörter in seinem inneren hatten längst häßlichen interjektionen platz gemacht, die auszusprechen er in damengesellschaft nie gewagt hätte, er schwieg seit einer geraumen minute beharrlich, was Agneta selbstverständlich auffiel. Warum auf einmal so schweigsam, mein kühner flieger, sagte sie mit einer stimme, die man in schlechten texten *flöten* nennt, und sie hielt an, stellte sich vor ihn und legte beide hände zart auf seine außerordentlich gepolsterten schultern, wobei sie ihm tief in die raffiniert kaschierten glotzaugen blickte. Die mondnacht, versetzte er etwas atemlos, die stille der natur und die stille und aus-

geglichenheit in mir.. Er konnte es bei dieser
nokturnen phrase allerdings nicht verhindern, daß
sein magen wie ein dösender dobermann zu knur-
ren begann.

Eine schattendunkle gestalt näherte sich plötzlich mit lässigen schritten, sie schien aus einem der
rhododendronbüsche zu kommen, ein geheimnis-
voller pisser, ein nächtlicher voyeur, ein pistolen-
behangener unhold, der verschwiegene örter ver-
seucht, um liebespaare zu überfallen? de Clavigny
wußte zuerst nicht recht, welcher gattung er die
unangenehme erscheinung zurechnen sollte, fühlte
aber bereits im urin, daß sie ungutes im schilde
führen mußte, sie strebte wie eine aufrechte har-
pune auf ihn und Agneta zu, ein baumlanger
mensch, eine stange von einigen zwei metern, ein
schatten mit offenem hosenlatz, zwei kobraaugen
im mondlicht, phosphoriszierende jeans, ein t-
shirt..

Bondieu! durchfuhr es de Clavigny, zu allem
überdruß auch der noch! Bondieu hatte in sich
alles böse und abgründige versammelt, er war
praktisch das gegenteil von einem schneidigen flieger mit kühnen absichten, er mußte eine sonder-
bare jugend verlebt haben, ideale waren ihm,
wenn auch nicht unbekannt, so doch höchst odios,
er hatte für sie bloß ein meckerndes lachen, er
liebte es, grimassen zu schneiden, in aller öffent-

lichkeit, nicht etwa vor dem spiegel, und es erfüllte ihn mit grimmiger freude, zu sehen, wie andere menschen zu tode erschrocken die hände vors gesicht schlugen und *oh nein!* riefen. Bondieus motto war: *Walk or die!* Und so *walkte* er dahin durch die länder des Westens und *diete* vorläufig noch nicht, nö, dazu hatte er nicht ein bißchen lust, sein lebenszweck (das soll nicht mit ideal verwechselt werden) bestand darin, seine umwelt zu vergrämen, *woodstocks* und *wights* zu stören, langspielplatten listig zu verwüsten, zeltende urlauber zu plündern, lagernde pärchen zu schänden (in zusammenarbeit mit komplizen), mercedessterne und rolls-royce-victorias abzumontieren, alte damen zu beflegeln und steine zu werfen, wenn irgendwo polizei einschritt. Und nun stand er vor dem bereits in mehrere körperteile aufgelösten Krchpfrrchpfrz de Clavigny und dessen charmanter begleitung, ein umstand, der jener voluptiöse schauder, diesem aber die schreckliche wut des hilflos ausgelieferten einflößte. Bondieu bückte sich wortlos, rieß die entlüftete gummiwade vom fußknöchel seines ehemaligen klassenkameraden und hielt sie ihm unter die gleichsam zu eis erstarrte nase. Mein herr . .! versuchte de Clavigny, doch Bondieu schnitt ihm das wort ab: Wir werden uns um den finderlohn nicht streiten, Krrchi, sagte er, wie wärs mit einem fuffziger, falsche waden sind heute teuerer als echte perücken! Na, wirds? – Er schlug ihm die gummiwade zwei-dreimal um den falschen schnurrbart, sodaß dieser an einer seite abrutschte und mißmutig über den lippen des unseligen fliegers baumelte, ein bild für barbiere und solche, die es werden wollen. Doch Bondieu hatte anderes vor, es ging ihm gar nicht um geld, er wollte ganz einfach seinen klassenkameraden fliegerisch gesprochen: am boden zerstören, weshalb und warum, das war ihm völlig schnurz.

Mein herr, ich kenne sie nicht, sagte de Clavigny endlich zu vielem entschlossen, er hakte sich in Agneta Tigges ein und wollte das weite suchen – das war der moment, wo ihm Bondieu ein bein stellte. Das paar schlug lang hin, Agneta schrie schrill, René grunzte baß erstaunt – und draußen am horizont hob sich ein riesiger feuerschein, dem einige augenblicke später eine furchtbare detonation erfolgte! Die dunkle nacht schien früher abend zu werden, ein fernes prasseln war jetzt zu vernehmen . .

*Die tänzer und tänzerinnen aus dem Mecca Dancing strömen, man fröstelt überschweißt, die damen stöhnen, sie stehn in nesseln, die sie brennen, beherzte Männer zu den feuermeldern rennen, die Townsend ists, die explodiert!*

Es war in der tat ein finsterer sing-song, den

Bondieu extemporierte und dabei, wie gebannt von einer engelhaften erscheinung, nach dem brennenden schiff starrte, aus dem ununterbrochen feuerwerkskörper hochzugehen schienen. Der enorme loderbrand warf einen zuckelnd reflektierenden schimmerstreifen über die dunkle wasserfläche, der nahezu bis an den kai heranreichte und im gischt der leichten brandung lampionrot kobolz schlug. Bondieus giftige hymne erinnerte etwas an Allan Ginsburgs sakralgesänge, mit dem unterschied jedoch, daß die seinen nicht in liebenswürdig naivem westküstensanskrit verfaßt waren, sondern in beißendstem kloakengallisch.

de Clavigny, der seinen halbabgegangenen schnurrbart wieder festgepappt hatte, war mit seiner schnuckeligen begleiterin an den strand geeilt und befand sich nun in der schaulustigen menge, die unentwegt aus dem tanzpavillon strömte, um den untergang eines größeren passagierdampfers als augenzeugen zu erleben, sozusagen, um es später noch kind und kindeskindern zu erzählen . . Ich war damals auch dabei, mit Nathalie, aber die kennst du nicht; ich kannte sie, bevor ich deine mammi kennenlernte und so . . Aber man würde es den erzählern nicht glauben – stellen sie sich vor, da kommt irgend so einer und schwatzt ihnen etwas von einem helikopter vor, von dem aus er den grandios-schaurigen untergang der *Titanic* er-

lebt haben will. Wie natürlich er auch alles zu
schildern versucht, wie sehr er sich auch anstrengt,
einzelheiten und scheinbare bagatellen herauszu-
streichen – sie werden höflich mit dem kopfe nik-
ken und sagen: was sie nicht sagen, das muß ja
schrecklich gewesen sein, oder: hand aufs herz, ich
an ihrer stelle hätte in die hosen geschissen .. Aber
glauben würden sie diesem augenzeugen nie und
nimmermehr.

Bei meinem jüngsten nachtflug hatte ich schrecklich nasenbluten, sagte de Clavigny zu Agneta
Tigges, ich weiß auch nicht, wie es dazu kam, vielleicht hatte ich tatsächlich abends zuvor etwas
mehr als sonst dem whisky zugesprochen .. Er
wollte den imaginären nachtflug mit der eben
stattfindenden katastrophe geschickt in verbin-
dung bringen, als er wiederum die stimme vernahm, die er, wäre ihm das momentan möglich
gewesen, ohne mit der gefälschten wimper zu
zucken mit einem sitzplatz auf dem zur fackel gewordenen dampfer vertauscht hätte – Bondieus
meckerndes satansgegurgel. Ich verstehe immer
nachtflug, drang es in sein ohr, bei uns heißt das
nachttopf!

Das war wirklich alles andere als witzig, aber
der so angepflaumte zuckte wie von einem skorpion berührt zusammen. Ein krabbelnder skorpion unter der steppdecke eines tropischen gast-

84

hofes, ja, das war der vergleich, der auf Alain Bondieu zutraf, obgleich tropische gasthöfe kaum steppdecken führen, aber der arme Krchpfrrchpfrz fühlte sich wie unter einer solchen, und zwar bei einer temperatur von vierzig grad im schatten.

Unmöglich zu verbleiben! Wie eine maus, die unter vielen mäusen der katze zu entgehen sucht, schlängelte sich der traumflieger durch die menge, Agneta eine Agneta sein lassend, schweißverheert trotz der abendkühle, den anderen wadenkautschuk hinter sich herschleifend, hoffend, daß ein gnädiger fuß darauftrete, was auch prompt nach einigen windungen geschah; er hörte noch einige male das komische *huhu* seines nicht eingetretenen verhältnisses, wischte sich über die heiße stirne, verlor dabei die forschen wimpern, riß sich ungehalten den royal-airforceschnurrbart von der zu kurzen oberlippe, das schnauztoupé wollte nicht mehr recht haften; er merkte leider zu spät, daß er an der betonkante des kais stand, er tat, was er im augenblicke des tuns blitzartig bereute, einen schritt zuviel – und schon lag er zwei meter tiefer im feuchten sand zwischen miesmuschelschalen und fauligem tang, wobei er abermals einer wichtigen sache verlustig ging – der anwesende seelenhirte des kurortes (er war natürlich nicht aus dem tanzmekka gekommen, hatte nur sein brevier, das

85

er auswendig konnte, am strand memoriert) hatte geistesgegenwärtig im augenblick des sturzes nach dem flatternden schopf des unvorsichtigen gegriffen, und so geschah's, daß er nun völlig perplex eine wertvolle perücke aus echtem chinesenhaar in der hand hielt. Père Langelaan murmelte einen längeren ausruf des bassen erstaunens, den die umstehenden nicht verstehen konnten – der geistliche herr war geraume zeit seelsorger in Tientsin gewesen.

de Clavigny, der um diese zeit bereits nur mehr ein de Clavrxprrx war, rappelte sich unter blasphemischen krächzern auf und begann sich, so gut es in dieser situation ging, vom nassen sand zu reinigen. Begeisterte stimmen wurden laut – der flieger, rief eine weibliche stimme, er setzt zur rettung der unglücklichen Townsendopfer an! Ein mann, der sein leben für das seiner mitmenschen in die schanze schlägt, oh, das nenne ich mut! rief eine andere. Er geht an das motorboot, das wir in der dunkelheit gar nicht bemerkt hatten! setzte der volltönende baß eines urlaubenden klavierstimmers hinzu.

Das motorboot lag tatsächlich einige meter vor ihm und schaukelte sanft glucksend im wasser. de Clavrxprrx, dem alles andere durch den sinn kam, als mit einem fremden motorboot in die nächtlich einsame see zu stechen, war durch diese begeisterten rufe nun doch gezwungen, etwas zu unternehmen. Ich werde, dachte er, so tun als ob ich das wagnis unternehmen würde, ich werde mich in das boot stürzen, den motor in gang setzen, was macht das schon aus, das fahrzeug ist vertäut, ich werde mich taub stellen, motorengeknatter und so . . Er zog in der hitze des gefechtes, und um nicht nasse schuhe zu bekommen, dieselben aus, wurde dadurch um ganze sieben zentimeter kürzer, krempelte unter anfeuernden rufen die hosen seines abendanzuges an den dünnen waden hoch, trat bibbernd in die kühle flut und schwang sich, so gut es eben bei seinesgleichen ging, in das hin und her schwankende boot.

de Clavrxprrx hatte sein jacket abgelegt und war somit nur mehr ein de Clarxprrx, er fingerte an den armaturen herum, hatte keine ahnung, wie er das ding da, wie er sich unter zwei augen ausgedrückt hätte, in gang setzen sollte, schaltete blindlings drauf los, und mit einem male begann der schicke kahn zu tuckern und anzufahren – allerdings nur einige meter, dann stand er, zwar noch immer heftig schnaubend und dröhnend, still. Die kette hielt ihn fest. Ausgezeichnet, sagte sich de Clarxprrx, so bin ich auf nummer sicher. Losmachen! schrie die menge auf dem kai. Der retter in seenot hörte nichts davon. Er hört uns nicht, riefen die aufgeregten augenzeugen durcheinander. Macht das boot los! Das boot gehört mir, rief ein junger mann in weißem rollpullover, ich opfere es einer guten sache! Er hechtete mit einer turnerischen glanzleistung die zwei meter zum strand hinunter, zog seine krokodillederbörse und entnahm ihr unter dem jubel der atemlosen zuschauer (es war eher ein erschöpftes keuchen denn jubel) einen schlüssel von etwa zwei zentimeter größe. Eine kleine, wenn auch elegante drehung im schloß, und die angespannte kette versank kurz und lautlos im wasser, ein eherner rattenschwanz, der dem vorausschießenden boot folgte. Ehe sich flieger Clarx noch recht besinnen konnte, war er auch schon einige hundert meter auf see, stockdunkel ringsum, doch das höllisch prasselnde schiff als gütigen leitstern vor augen, immerhin ein gewisser trost für einen mann, dem ein wertvolles, fabelhaft gearbeitetes jacket über bord gegangen war, in dem zum überfluß ein gefälschter, lebensecht patinierter flugschein und ein auf René de Clavigny ausgestellter reisepaß gesteckt hatten.

Es war im fröstelnden aufdämmern des morgens, als das motorboot mit zehn geretteten Townsendpassagieren zurückkehrte. Ein großer teil der augenzeugen hatte tapfer am kai ausgeharrt und war durch feuerwehrleute, sanitäter und freiwillige lebensretter verstärkt worden. Man labte die erschöpften *naufragés* mit in win-

deseile zubereitetem grog, warf ihnen flanell-
decken um die vom salzwasser verquollenen schultern, munterte sie mit männlichen reden auf, bot
ihnen schon brennende zigaretten an, kurzum,
man tat, was man konnte und was einem in dieser
situation am passendsten dünkte. Plötzlich rief
einer aus, und das war auch höchste zeit: Wo ist
der heldenmütige Clavigny? Ja, wo ist René?
René, wo bist du? rief eine andre stimme, die als
fräulein Tigges ihre zu erkennen war. René de
Clavigny war verschwunden, die see mußte ihn in
ihren unergründlich tiefen nassen schoß gezogen
haben . .

Das ist das los der edlen und der tapferen, sagte
ein älterer herr mit brille und, als sein blick auf
einen der geretteten fiel, der etwas abseits von ihm
stand und seinen warmen grog nuckelte: – für so
was hat sich ein mann wie de Clavigny geopfert
(unter anderem)!

Das war nicht schön von ihm, aber dieser glatz-
köpfige, glotzäugige, schiefschultrige, hasengeschar-
tete minineadertaler widerte ihn einfach an.

Liebe, waidwerk und musik

Ein liebespaar wanderte von der banlieu hinaus nach jenem idyllisch gelegenen gasthofe am rande des waldes, um der aprilbesonnten natur einen, wie man hin und wieder sagt, gehörigen tribut zu erweisen. Änne hatte sich bei Bohumil untergehakt und raschelte mit sportlichen schuhen im falllaub des dahingegangenen jahres, der winziggrüne vierte monat hing fast an allen zweigen des weiten forstes, kleine tümpel verbreiteten heimeligen gestank, der himmel glich einem makellos blauen baldachin, die ersten käfer traten auf, kleintier raschelte zwischendurch im unterholze, herrlich duftender perolingeruch erfreute herz und nase. Die beiden verliebten sprachen kein wort, eines lauschte dem atem des anderen, preßte arm gegen den arm des anderen, sahen einander abgrundtief in die augen, taten alles, was sich unter gefühlsreichen jungen leuten in sylvaner einsamkeit von selbst und allein ergibt, ja sie bewegten sich so verträumt und innig über den zartkrachenden teppich, daß jeder halbwegs ordentliche dichter oder poet sie stehenden fußes in formschön gereimte vierzeiler entworfen hätte. Allein es war hierorts außer Pan kein dichter oder poet zugange, und dieser hatte sich aus später zu erwähnenden gründen in das dichte clairobscur des innersten waldherzens zurückgezogen, blies neckisch in eine selbstgebastelte flöte aus gasrohrabfall: ein fernab sirrender ton, den Änne fälschlich für Bohumils verstimmte lunge hielt, zumal sie in der einfalt ihrer jungen liebe dachte, der kirchenstille begleiter verhalte schamvoll ein räuspern, um das unisono zweier seelen nicht zu stören; waren doch der winter und seine langanhaltenden husten erst vor kurzem der mächtigen hand des lenzes anheimgefallen, aber warum sollte nicht dennoch ein bronchiales nachläuferchen durchs helle sonnensieb gerutscht sein, eine schüchterne schleimlerche in der unrechten kehle? Menschlich all dies, wer würfe hier den ersten stein? Fürze und huster sind zweierlei und daher nach zweierlei gesichtspunkten zu richten.

Nicht weit von jener wandelnden zweisamkeit wurstelte ein schwitzender herr durch das tückische unterholz. Er hatte drei geschlagene stunden vergeblich Pan, den er aus mir nicht ersichtlichen gründen für den Osterhasen hielt, verschwenderisch viel schrot um die ohren gepulvert, hatte aber schließlich doch eingesehen, daß dem schlauen kerl nichts anzuhasen war; derartige schliche und finten, die ihm die flinke kreatur vor das nervösgewordene flintenmaul praktizierte, waren nahezu mythologisch. Er schien nun höchstverzagt und

schulterte mit einem indezenten eid sein erfolglo-
ses feuerrohr, trat den beschämenden rückzug zum
försterhaus an, stieß mit derbem fuß wider unschuldige waldpflanzen und pfiff, was sonst seine
art war, keinerlei schneidige märsche. Scheißwaid-
mannsheil, schnöder hubertus schnöder!

Seine stimmung war hin, gleich null, beim teufel, im arsch, völlig kaputt, im kübel, ranzig-
geworden wie altes schmalz, pritsch, futsch, über
den sieben bergen bei den sieben schimpansen, ver-
reckt und bestattet!

Dieses pech hatte sich auf seinen magen geschlagen, säuerlicher saft stieg ihm in die mundhöhle
hoch, er unterdrückte einen spuckreiz, ließ aber
gleich darauf einen schrecklichen rülpser fahren,
dachte daran, kehrt zu machen, um die jagd fortzusetzen, unterließ es jedoch mit einem wort grim-
mer unlust – dieser zehnte april war ein böser tag,
eine nie zuvor passierte ansammlung von fehl-
schüssen, entsetzlichen nieten in der stille des grünen forstes von hämischem vogelgeplärr applau-
diert. Äste waren mit leisem gekrach zu boden
gegangen, sonnenkringel hatten blauen pulver-
schwaden geschmeichelt, die bunten papphüllen
der schrotpatronen bezeichneten seinen mäandern-
den pirschgang wie die listig gelegte spur zu einer
seltsamen schnitzeljagd; ein freischaffender, etwas
kurzsichtiger briefmarkensammler dachte hinter-

her an explodierte alben der philatelie und ver-
irrte sich infolge für die nächsten tage in jenem
unermeßlichen baumbestand, ein ereignis, das die
behörden zu ausgedehnten suchaktionen zwang,
die aber erfolglos blieben . .

Bohumil hatte nun, von der wanderung etwas
echauffiert, dezent schnaubend angehalten, er
stützte sich schnittig mit lässig angewinkelten armen auf seinen spazierstock aus sauerkirschholz
und räusperte sich (endlich! wie es der mitleidigen,
verständnisvollen Änne schien); ein weidenrohr-
sänger ließ seine zwei stereotypen töne in die anmutige luft klingen, einige amseln übten einen dia-
log, ein specht legte sein werkzeug bereit, ein hase
trainierte mit seinem schnappsack, eine meise ließ
sich hören.

Änne, sagte Bohumil, Ännelein, hörst du die
meise, sieht du den hasen, merkst du den specht,
gewahrst du die amseln, hast du wie ich auch den
weidenrohrpfeifer bei seiner lustigen beschäfti-
gung ertappt? Sein zwei zoll langer adamsapfel
wippte bei diesen ein wenig gepreßt hervorgesto-
ßenen worten und ein grünes räupchen, das sich in
seinem blondem vollbart verfangen hatte, trachtete, sich von haar zu haar schwingend aus der
menschlichen nähe zu befreien, ein beginnen, das
angesichts jener barbuden pracht von allem beginn
an zum mißlingen verurteilt war. Bohumil hob

seinen spazierstock wegweisend und sagte nun mit gefaßterer stimme: Und dort, in jener grotte, soll zu mariatheresienszeiten der einsiedler gehaust haben! Änne wandte sich in die angestochene richtung und riß ungläubig die froschlaichglänzenden augen auf: Mariaundanna, rief sie endlich, in diesem nassen loch?! Ja, sagte Bohumil, und legte seine rotbehaarte hand zart auf Ännes scheitel, ja, in diesem nassen loch, denn so fromm waren damals die leute! Er mußte es allerdings wissen, denn er kannte diese grotte seit frühester kindheit, hatte sie durchforscht und bis zum (heute versteinerten) abtritt durchstöbert, kannte den vergammelten betschemel aus papiermaché, wußte um die raffinierten lüftungsanlagen, hatte die in reinen fels gemeißelten sgraffiti grüblerischen inhalts monatelang studiert, hatte den natürlichen steinkamin oft und sonder erfolg wieder zu beheizen versucht, war nicht nur einmal in tränen ausgebrochen, wünschend, doch auch dereinst das ausgewogene leben jenes längstverstorbenen eremiten nachvollziehen zu können. Allein davon ließ er, der gentleman mit den albinobrauen, seine begleiterin nichts wissen; bescheidenheit war das vermögen, das er sich auf die hohe kante gelegt hatte. Das ist alles bereits historie! sagte er fröhlich und hakte mit einer galanten bewegung seine lispelnde *vilja o vilja* unter . .

Der unsternbekackte hasenjäger war an eine schöngelegene lichtung gelangt, die man im volksmund ›das gemösel‹ nennt, wahrscheinlich wegen der großen ansammlung von moosen und flechten, die ebendort die vielen findlingsblöcke überwuchern. Der verschwitzte waidmann setzte sich sichtlich ermüdet auf einen der wuchtigen steine und schlug ein bein über das andere; er war, das mußte man ihm lassen, ein bild von mann: karierte jacke, ebensolche kniehosen, schottländische wollstrümpfe, derbes aber unendlich haltbares schuhwerk, auf dem ansehnlichen haupte eine regensichere sherlockholmesmütze oder, wie das richtig heißt: *a deer-stalker,* also auf gut deutsch: ein wildpürscher. Dieser mann war ein starker raucher, und sein bedürfnis nach einer pfeife tabak war während dieses sinnlosen waldlaufes ins unmeßbare gestiegen. Er holte nikotin und instrument hervor, fischte es aus seiner grauen segeltuchtasche, und machte sich an eine sorgfältige stopfung. Bald darauf kräuselte auch schwerer virginischer duft zum blauen himmel . .

Bohumil, der gar nicht Bohumil hieß, sondern sich diesen feingräflichen namen aus romantischen erwägungen zugelegt hatte, war mit Änne, die tatsächlich auf diese einfache bezeichnung getauft worden war, in nahezu heiligem schweigen ins innere der anachoretengrotte getreten, hand in hand standen sie nun an jenem längsterloschenen steinkamin, daran sich vorzeiten der tiefreligiöse einsiedel die devotionsklammen finger gewärmt oder, auf dem rücken liegend mit angezogenen knien, die kalten füße. So habe er dagelegen, versicherte Bohumil dem staunenden mädchen; er führte also liegend aus, was er sich stehend vorgenommen; seine schuhsohlen waren blinde, löchrige spiegel, in denen keine flammen mehr reflektierten, die hochgerutschten knickerbockerhosen gaben oberhalb der strümpfe karottenrotbehaarte beine frei, Änne bemerkte das nicht ohne zu erröten, ihr blick wandte sich geflissentlich dem vetusten hartpappbetstuhl zu, sie gewahrte die stellen, wo des einsiedels knochige knie in jahrzehntelangen gebeten ansehnliche dellen gegraben hatten, mulden der frömmigkeit, in denen während gewisser mondnächte winzige pilzsorten für kurze zeit aufsprossen sollen, violette, engelhafte *fungi,* von naturheilkundlern als hochwertige grundsubstanz für salben gegen eine ›baumhackel‹ genannte erkrankung der haut mit gutem erfolg angewendet . .

Bohumil, wahrscheinlich durch seine supine lage verführt, durchzuckte nun ein, wenn auch ungewollt, teuflischer gedanke: Ännes briefmarkenblaugeäderte kniekehlen zu küssen! Oh, welch ein bestürzendes gewirr von flüßchen und seelein,

welch finnische geographie, welch mirakel in azur
und schweinchenrosa! Mit einem einzigen satz, der
für den auf dem rücken weilenden wahrlich die
akrobatischste höchstleistung seiner jungen jahre
war, schwang sich Bohumil, der mensch mit dem
künstlernamen an Ännes schöngeschweifte beine,
überdrehte den vorgehabten kuß im taumel seiner
so urplötzlich aufgekommenen sinnesbegeisterung,
schlug seine von einer gütigen natur wohlbestell-
ten raffzähne mittelzart in das schwellende bein-
fleisch der jungfrau.. Daß die grotte nicht ein-
brach, daß der versteinerte abtritt nicht zu feuriger lava wurde, daß der vergammelte papier-
machéschemel nich in asche zerfiel, daß die
gekonnt angebrachten entlüftungsanlagen nicht
wankten und die gemeißelten sgraffiti nicht von
den wänden stürzten! Änne, die jener entsetzlichen profanation jenes im geruche der heiligkeit
stehenden ortes im gegensatz zu Bohumil wohl
gewahr war, stieß einen gellen, zwischen lust und
panischem entsetzen taumelnden schrei hervor, ein
schriller, weittragender klang, der sich mit
schrecklicher schnelligkeit aus der geschändeten
betgrotte machte, sich in tausendfachen echos im
umliegenden walde verteilte!

Hand aufs herz, großes ehrenwort, versteht sich
doch am rande von selbst: ich bin kein revolver-
journalist, aber der satz, den der rastende hasen-

nimrod vollführte, da ihm eines der unzähligen echos ans ohr schwirrte, gewaltig wie die gezielte ohrfeige aus nerviger damenhand, übertraf die abenteuerlichsten beschreibungen eines waldlateiners. Der ansehnliche, etwa hundertachtzig pfund schwere mann war wie eine rakete aus schuhwerk und beinkleid geschnellt, hatte gleich darauf eine höhe von etwa zehn metern erreicht und zierte nun, eine seltsame apparition in maßgeschneiderter flanellunterwäsche, gelbdoldiges ginstergestrüpp, die sorgfältig abgestellte schrotflinte war ohne zutun ihres meisters losgegangen, hatte aber wieder nichts getroffen, es sei denn einzelne wildwachsende narzissen, wohl aber die kernhafte bruyèrepfeife, eben noch von einem knisternden schnurrbart überdacht, jetzt weit übers mundstück im schädel eines gefällten hasen sitzend, langsam aus leid erlöschend, ein beseeltes instrument, das sich nimmer zum mord bestimmt geglaubt hatte. Eine kleine dunkle wolke, die plötzlich am strahlend blauen himmel erschienen war, schob sich für einige augenblicke vor die sonnenscheibe, Pan patzte im herzen des forstes auf seiner gasrohrflöte, er setzte sie verblüfft von den sardonischen lippen ab, das war ihm nicht aus dem kaffeesatz gelesen worden, der falschgeblasene ton schien ihm seine goldene blätterstille in ein schales niflheim zu wandeln, in eine schattenwelt aus verregneten zeitungsseiten, in einen orkus aus verschwitzten fußlappen, in eine acheronumflossene insel, überwuchert von den verfaulten violinschlüsseln eines musikalischen desengaño . .

Holla, leute, geht nicht so stur eurer wege, haltet an, stellt euch dem interviewer, gebt rede und antwort, bringt eure gehirnwindungen auf trab, denket, überleget reiflich, wäget ab zwischen dem, was recht und was unrecht, erwachet aus eurer inhumanen unbeteiligtheit, abracadabra, hokuspokus, perlicke perlacke, öffnet den leuchtenden sesam eurer verschütteten rechtschaffenheit, brave männer, redliche mütter, begebet euch aus der dunkelkammer des ich-hab-damit-nichts-zu-schaffen, frei und offen sei es herausgesagt, was ihr von Bohumuls liebesirrer reaktion in geheiligter höhle haltet, was ihr über eine übereilte tat zu bemäkeln habt, frank und liberal, unbeeinflußt von gefühlsbedingten eingebungen, bemäntelungsversuchen . . Ein kuß in ehren konzipiert wird zum blindwütigen geilbiß, veranlaßt den schrei einer bislang makellos gebliebenen jungfrau, schnellt einen ruhenden jäger aus haferlschuh und hose, verursacht den waidwidrigen tod eines sonnenhungrigen hasen, überflort die frühlingsfreude einer freundlichen witterung, verstummt das wimmerrohr eines fröhlichen waldfreaks, verkehrt ein idyll aus warmem licht und heitrem junglaub in eine garstige gehenna, in ein scheol aus wohlstandsmüll und zähneklappern, ja gar nicht zu denken an die malträtierten manen eines längstdahingehuschten grottenklausners aus hehrer zeit!

# Drangsale eines piccolo eines mittleren gastbetriebes an der see

Daß er ihm die ohren abschnitte, um sie den säuen als fraß vorzuwerfen, nein, so weit war er nicht gegangen, er hatte bloß mit schrecklicher stimme, die etwas unbewußt blaubärtiges durchschillern ließ, gerufen: Ich schneide dir die ohren ab . . ohne nachsatz, *bien entendu*. Der unselige piccolo des mittleren gastbetriebes an der see hatte ein glas mit gummimilchgrüner pastis vom eigenen tablett gestoßen, es war zu boden gegangen und an diesem zerschellt.

Wer erst einmal in die wurstmaschinen seiner nächsten vorgesetzten gerät, ist ein kind der harschen desperation, und so war es seit einer schon drei monate währenden sommersaison Léopold, der piccolo des restaurants zum Blauen Anker in Criqueville, einem stimmungsvollen kleinhafen am Ärmelkanal. Es verging auch kein tag, ja keine stunde, in der dieser glücklose Léopold nicht durch die scheißgasse gejagt wurde – er war eben mit zwei ungleichen händen geboren worden, ein absolutes minus für einen angehenden oberkellner.

Wer wagt gewinnt, das wort eines vaters und einer mutter, die ihrem sohne das beste nach der schulentlassung an den brustlatz wünschen, eine

autorität als leitersprosse zur nächsten oder
nächstbesten oder nächstschlechten, eine geschleck-
te frisur wird dem knaben angemessen, der friseur
oder pudelscherer tobt seine erlernte kunst am
hülflosen objekte aus, er braucht eine herrliche
stunde des fizzelns und schnibbelns, die pomade
hält hochzeit zu beiden seiten des mittelscheitels,
der vater nickt zufrieden, die mutter ergreift ge-
rührt die anschwellung über dem herzen, ein seufzer nicht ohne stolz – der junge stellt bereits etwas
dar und war doch noch ein kind vor tagen, wochen, monaten, jahren .. Der vater drückt einen
geräuschlos zärtlichen furz in die schwärze des
lederhockers und beschließt, auch nächsten sonn-
abend einen haarschnitt zu wagen, ja, wem arsch-
backen gegeben sind, der mag sie verwenden, dazu
sind sie für gewöhnlich da. Der friseur zerdrückt
einen rülpser diskret, so hat er es gelernt, ein
hauch nach kohl und käse teilt sich zur linken und
rechten seiner mundwinkel, steigt und trifft verstörte engel, die durch den salon schweben – Los
machtloser schutzengel im gewebe menschlicher
machenschaften!

Das werk eines verdienten friseurmeisters ist
stets ein meisterwerk, zumal es mit mühe und fleiß
unter jahren der schweißperlen und obgenannter
rülpser zur perfektion hochkandidelt wird – was
weiß der laie um die gedankenvollen nächte, um

die verheißungsvollen morgen und vormittage eines coiffeurs, der vom gehülfen kommend, durch dickes und dünnes haar, über bedeutungsvolle halbglatzen und durchpustelte wangenfluren gehend, schließlich seinen eigenen, wohlstandvermittelnden laden erreicht hat?

Vor dem mittleren gastbetrieb treibt die wechselvolle maisonne ihr durchwindetes spiel, die apfelbäume stehn in fescher blüte. Die hand, und zwar die rechte, auf die ebenfalls rechte schulter des knaben gelegt, so stellt der vater den sohn der chefin des hauses vor: sie hat zu entscheiden, ob die probezeit auf zwei oder drei monate festgesetzt wird. Eine immense stille, das kleid scharfen nachsinnens und überlegens ist entstanden, die schöne chefin blickt mit dunklen augen auf, die eben nebenan betätigte klosettspülung zerbricht rauschend den weniger rasanten nachmittag – ja, sie wird Léopold als piccolo einstellen, vorerst für zwei monate – nun wissen es vater und sohn definitiv – über die lehrlingsentschädigung würde man später noch sprechen, was kost und quartier betrifft, brauche man sich keine sorge zu machen, eine sorge weniger für einen sorggeplagten vater, jetzt geht es rascher vorwärts im leben, ein neuer abschnitt, ernster gewiß als die sorglosere schulzeit, doch die zeit des sprungbrettes eines jungen mannes, der es mit geschick und eifer zu etwas bringen wird, halten wir ihm den daumen, er wird es schon schaffen, ein bursche, der durch die hände besonnener lehrkörper gegangen und mit nicht schlechten zeugnissen von der schulbank verabschiedet worden ist, warum sollte man ihm auch nicht im weiteren leben zutrauen, überlegt und vernünftig seinen weg zu gehen?

Der oberkellner hat seinen verrückten tag, er schmiert Léopold bereits um zehn uhr morgens die erste flache rechte über die nase, er besudelt sich am rotz des verschnupften piccolo und gerät darüber so in wut, daß er auf den noch kalten küchenherd springt, einen gußeisernen ofenring zertritt und zwei suppenterrinen mit der fußspitze in das jenseits alles porzellans befördert. Léopold errötet heftig, er ist dem weinen nahe, er hat, so denkt er bei sich, wieder einmal gräßlich versagt, er zieht den inhalt seiner verschnupften nase auf und schluckt ihn mit traurigen, dem speisesaal zugewandten augen, es sind bereits die ersten engländer im lande, einzelne herren und damen, die das wort ›trinkgeld‹ nicht einmal aus romanen der Agatha Christie kennen, da in diesen kein solches gegeben wird, bloß geheime gifte und unklare schüsse aus hecken und rüstern regnerischer regionen, nein, was letzteres angeht, so mag Léopold ruhigen herzens seine gänge zwischen küche und speisesaal tun, kein Engländer, keine Engländerin

wird ihms mit arsen lohnen oder durch einen tük-
kischen treffer in die herzgegend, man kommt nur
in löblicher absicht über den windbewegten Kanal
ins warme grün der Littorale.

Der oberkellner, ein welschschweizer, kein engländer, ein rabiater mann, ein wutsprühender
altganymed, ein schurke von etwa vierzig jahren,
ein teufel im basaltschwarzem gastronomenfrack,
ein leckmichamarschschnurrbart mit lockersitzen-
den händen, von denen nicht nur Léopold ein lied
zu singen weiß, hockt im vorgarten, der ihm nicht
zusteht, und läßt sich vom piccolo ein gabelfrüh-
stück servieren.

Im hause rauschte wieder das klosett wie eine
fernere drohung und der oberkellner schlug sein
schadhaftes raubtiergebiß in die schmackhafte
kalbspastete. Léopold stand vor ihm, abwartend
gleich einem, der noch eines wie das amen im gebet
zu kommenden befehles harrt. Der oberkellner
fühlte sich unterbewußt verarscht – verschwinde,
herrschte er zwischen zwei bissen pâté den verdat-
terten piccolo an, verschwinde oder ich saufe dir
deine vertrottelten augen aus. Der junggastronom,
der bei diesen gräßlichen worten tatsächlich einem
hecht ähnlicher sah als einem vierzehnjährigen
jungen, lief puterrot an, machte eine jähe kehrtwendung und lief einer fünfzigjährigen engländerin, die eben ins freie trat, an den demolierten

busen. Ihr überraschtes ›ow‹ ließ dem oberkellner den momentanen bissen pastete in der kehle zu holzkohle erstarren, er warf das messer so heftig auf den teller, daß dieser in zwei gleiche teile zersprang, der gatte der engländerin, ebenfalls ein engländer, der seiner frau fast auf den schritt gefolgt war, hielt den genfer gannef von ober für einen aufrührerischen afridi, eine erinnerung an seine zeit als major an der Nordwestgrenze, die ihn in der kleinsten prekären situation stets befiel, er fuhr dem welschschweizer an die fast tadellos gebundene restaurantsfliege, zerrte an dem schwarzen glanzstoff und knurrte einige verbissene worte, die der ober ja doch nicht verstehen konnte, da sie in fließendem panjabi hervorgestoßen waren.

Léopold hatte sich inzwischen in die ihm sicherer dünkende küche verdrückt, er machte sich an einem haufen einzusortierender messer und gabeln zu schaffen, nicht ohne dabei eine gejagt klingende melodie zischend durch seine zähne zu stoßen; ihm war wie einem nächtlichen heimkehrer, der durch ein übelbeleumdetes waldstück zu laufen hat und sich dabei gute fünf zentimeter über dem boden verspürt.

Das dessert für die herren auf tisch vier, sagte eine stimme zu Léopold. Es war die chefin persönlich, die den jausenden ober vertrat, eine arbeit,

die sie ihm nur deshalb abnahm, weil der suffisan-
te kerl von westschweizer von einer vorstrafe
wußte, die sie als blutjunges ding von einem ge-
richt in Besançon erhalten hatte. Das war allerdings schon einige jährchen her, allein da sie solide
geworden und diesen mittleren gastbetrieb am
Ärmelkanal gepachtet hatte, grund genug die
klappe schön stille zu halten und dem dreckigen
erpresser Serge, denn das war der vorname dieses
gangsters, sanft um den lächerlichen schnürsenkel
von bart zu streichen. Er hatte die art eines tyran-
nen und scheute auch bei der chefin mit ohrfeigen
ebensowenig zurück als bei Léopold, dem ständig
verrotzten piccolo. Man konnte tatsächlich sagen,
daß dies so seine eher unangenehme art war.

Pardon, sagte Serge Davidoff, denn Davidoff
war sein nachname, er hatte einen russen, bulgaren
oder mazedonier zum vater, was ihn aber nicht
davon abhielt, außer französisch nur ein undrolli-
ges englisch zu beherrschen.

Pardon, haben der herr zahlen gewünscht? stieß
er auf englisch hervor. Ihm kam nichts anderes in
den sinn, er hielt den major für einen bizarren
inselbewohner, für einen gast aus Agathens romanen, er befand sich ja zum ersten male an der
kanalküste, dem eldorado der Somersetler und
Sussexer, er hatte seine hintergründige lehrzeit in
Lausanne gemacht, sich in Dijon vervollkommnet

und die letzten jahre in Lelocle gewirkt, orte also, die wohl hin und wieder Briten aufzeigen, nicht aber so in massivem *onslaught* zeitigen wie hier in Criqueville an den blauen gestaden der auf Ärmel getauften meerenge.

Der major hatte wieder die fliege des oberschurken losgelassen, er war aus seiner kolonialen vision getreten, ein mann, der aus einem einfallenden lichtstrahl wieder in die halbschatten des dichten waldes taucht. *Ow,* sagte er nun begütigend, es war *sein* ›pardon‹, er beließ es damit und setzte seinen weg fort, folgte seiner gattin, die bereits einige schritte weiter im leben getan hatte, auf dem fuß. Des oberkellners zwischenmahlzeit verlief nun bis zum letzten bissen ohne weitere störung, wenn man von der abgebrochenen gabelzinke absehen will, die er zwischen die gelben tigerzähne bekam und um ein haar wie eine tückische fischgräte verschluckt hätte.

Léopold hatte seinen auftrag, den nachtisch auf nummer vier zu bringen, zu seiner erleichterung zufriedenstellend erledigt, er leckte seinen daumen im abgehen sauber, dieser finger war ihm während des servierens unbeabsichtigt in die crème caramel geraten, doch hatte dies anscheinend keiner der drei herren an tisch *vier* gemerkt oder man hatte gnädigst darüber hinweggesehen, es handelte sich um drei ältere schauspieler aus London, die für jungs seines alters immerhin genügend überhatten, um ihn für das kleine versehen nicht gleich herb zu tadeln. In die küche zurückgekehrt fand er bereits den oberkellner vor, der ihm ohne ein wort zu sagen eine saftige ohrfeige verabreichte, die zweite an diesem sonnigen vormittag. Das ist für die abgebrochene gabelzinke, die du mir in die pastete gesteckt hast! setzte er grimmig hinzu. Der verstörte piccole begann zu weinen und verzog sich, da er keinen anderen ausweg wußte, aufs klo.

Dieses verfluchte rauschen der klospülung kann einen noch rasend machen, rief herr Serge, denn so nannte man ihn in untergebenenkreisen, ich kriege noch ein chronisches ohrensausen, wenn das nicht aufhört! Die solcherart vor allem personal angepflaumte chefin wurde bleich, denn sie dachte, wie stets bei aufflackernder erregung des furzfarbenen kassierdiabolikers, er würde ihre vergangenheit preisgeben, zwar mehr aus rumpelstilziger wut denn aus absicht, allein ihr konnte das im endeffekt ja gleich sein, sie wäre geliefert, müßte das gutgehende restaurant an der see in fremde hände geben, irgendwo in einer anderen provinz wieder ganz von neuem beginnen, einen neuen betrieb aufbauen, möglicherweise sogar unter einem neuen namen. Was wunder also, daß ihr ein keim des hasses gegen den armen Léopold im herzen erwuchs, wider Léopold, von dem sie wußte, daß er eben die strippe gezogen hatte, ohne grund natürlich, er war gar nicht zur seite gegangen, hatte das klo aufgesucht, nur um seine desperation zu verschnaufen, hatte die strippe nur gezogen so als ob – ja, er wollte nicht in den ruf kommen, ein faulenzender piccolo zu sein, der die meiste zeit seines verantwortungsvollen dienstes zigarettenrauchend auf wc-brillen verbringt oder gar sexuell aufreizende inschriften und ideogramme in die holzwände des mittelmäßig reinlichen kacktempels graviert. Léopold, so jung er auch war, hatte sich bereits ein, wenn auch ein wenig nebuloses, berufsethos erarbeitet und davon wollte er *nicht um die burg* lassen.

Es war unterdessen mittag geworden, die sonne hatte sich hinter einer wolkenwand im Süden versteckt, und obgleich es im Norden noch strahlend blau war, konnte man den kommenden regen auf der zunge profetisch schmecken. Herr Serge, der in solchen momenten stets unter unerklärlichem harnzwang litt, war nun die sauerkeit in person: kaum hatte er sich einem der gäste abgewandt, so bleckte er auch schon gehässig die gelben schakalszähne, zerbiß das wort *scheiße* wie eine ungebärdige mandel, das heißt so, daß es keiner hören konnte, denn die französische spielart dieses bravurösen deutschen wortes ist jedem halbwegs gebildeten engländer aus der subliteratur geläufig,

und es handelte sich bei den dezent schmatzenden
herren und damen durchwegs um engländer, die
wenigen belgier und deutschen fielen kaum ins
gewicht, wohl aber ragten sie hervor durch rot-
weinnasen und embonpoints, die untrüglichen
kennzeichen alteingesessener kontinentaleuropäer.
Herr Serge fühlte sich jedoch diesen wie jenen in
keiner weise verbunden, er mochte gäste einfach
überhaupt nicht, obgleich er ja von ihnen lebte,
auf sie von berufs wegen angewiesen war, von
ihnen auf gedeih und verderb abhing. So ein
ober! hätte man gedacht, hätte man in seinen gedanken lesen können. Warum ist er denn eigentlich ober geworden? Wäre es nicht besser gewesen,
seine eltern hätten ihn zu einem schuster oder
schneider in die lehre gesteckt, oder zum militär?

Herrn Serges harnbewußtsein war bereits wieder auf einem höhepunkt angelangt, er schmiß
übelgelaunt die klotüre hinter sich zu und versuchte sein bestes – unmöglich, es ging nicht, sein
pißwerkzeug schien eingerostet, verstopft, mit
winzigen brettern vernagelt, mit beton farciert,
um es mit einer gastronomischen phrase auszu-
drücken. Er versorgte seinen burenwursthaften
blindgänger aufs mißmutigste und zog gewohn-
heitsmäßig, doch in diesem falle müßig, die strippe: ein mächtiges brausen klang durch das urin-
düstere gelaß – herrn Serge war es, als müsse er

stehenden fußes überschnappen, er haßte das geräusch inzwischen schon mehr als seine gäste und den unschuldigen Léopold, er verschloß seinen hosenlatz so zornwütig, daß ihm ein weniger fest angenähter knopf davon absprang und in die kaum appetitfördernde muschel glitt – ein raub des emsig brodelnden spülungswassers.

Während wir den geifernden oberkellner, durch verlust seines hosenknopfes unschlüssig geworden, vorerst noch hinter vier wänden belassen, wollen wir uns der aufs vortrefflichste erblühten chefin zuwenden. Sie hieß Germaine, ein altmodischer name dies, und stammte aus Clérmont-Ferrand, wofür schon ihr üppiger musterbusen zeugnis abzulegen schien, ich adaptiere diesen aberglauben bereitwilligst, da mir scheint, daß in städten mit doppelnamen auch die weiblichen doppelteile verdoppelt auftreten müssen, unnötig also zu bekräftigen, daß Germaine Katz, sie hatte einen jüdischen großvater, einen ebenso stattlichen arsch aufwies, ein gegengewicht sozusagen, um nicht aus der balance zu kommen. Im übrigen besaß sie jedoch eher zarte extremitäten, ihre hände waren schmal und wohlgeraten, ihre waden unter kennern ein gedicht, die füße staken ohne zu wimmern in schuhen nummer 37, sie verfügte über einen feurigen blick, pechschwarzes haar, einen geringfügigen, wenn auch deutlich sichtbaren damenbart, ein verhältnis mit dem schankburschen Raoul, der aber stumm war und analphabet, jedoch andere meriten hatte; immerhin, kein mensch wußte davon und niemand würde, so hoffte sie, jemals davon erfahren. So wie Raoul ihre große liebe im bett war, so sehr haßte sie Serge, ihren bösartigen oberkellner, der sie ständig in der angst wiegte, ihre vergangenheit vor aller welt zu offenbaren. Frau Germaine hatte auch einen leichten silberblick, der aber eher pikant als abstoßend wirkte. Serge ist eine viper, dachte sie, der man die zähne ziehen sollte, er ist ein ekles, gleitendes ding, eine schlange mit einem schmutzigen gelbbraunen gaunergesicht, er erpreßt mich, am liebsten brächte ich ihn um!

Herr Serge glitt aus dem klo und stolperte über einen völlig innozenten Léopold – ein häßlicher wutschnauber und eine fast synchrone ohrfeige, die des armen piccolos wange rötete, mischte sich in das enervante rauschen eines pfuschwerks, ausgeführt von einem installateur, der sich sein lehrgeld zurückgeben lassen sollte.

Hier muckte Léopold zum ersten mal auf, er verzog sein gesicht, zog seinen naseninhalt hoch und schnellte mit dem fuß gegen des oberkellners schienbein, das er zwar nicht traf, aber immerhin streifte. Herr Serge war sprachlos, noch nie zuvor hatte sich jemand seinen maulschellen widersetzt, denn er suchte sich seine opfer ja genau aus – es wäre ihm natürlich nie in den sinn gekommen, irgendeinen bullen von mann derart zu traktieren, er war ein ausgemachter feigling, wenn es darauf ankam, und zog den schwanz ein, wenn er merkte, daß er den kürzeren ziehen würde.

Herrn Serges gebrüll ließ die zahlreichen engländer im speisesaal aus ihrer mittäglichen lethargie hochschnellen, der tisch 7 kam durch das erschrockene aufspringen eines hochgradig nervösen intellektuellen zu fall, die halb aufgeknabberten krabben schmückten ziegelrot die schmutziggelbe crême des fußbodens, ein herr aus Charleroi, einer der wenigen nichtengländer, goß sich ein volles glas rotwein über das doppelte nylon seiner sportlichen hemdbrust, *verdronk smerlap!* knirschte seine frau, eine flämin aus Gent, die sich bereits mit salz und leitungswasser dieses praktische kleidungsstück waschen sah; ein dicker mann aus Kent mit geröteten hamsterbacken und weißem rollkragenpulli begann so zu husten, daß sich einige umstehende die frage stellten, ob man nicht doch einen vielleicht anwesenden arzt zu rate ziehen sollte – ist einer der anwesenden herren ein arzt?, die frage des atemlosen schaffners nach einem glücklich mißlungenen mordversuch in Agathens eisenbahnzügen.

Frau Germaine, die in ihr kleines büro geflüchtet war, wand ihren bestürzenden körper nach allen regeln einer angewandten peinlichkeit, was sollte sie in dieser situation tun? Ihres oberkellners wutgejaul überschritt alles bisher dagewesene, die gäste würden den speisesaal verlassen und nicht wieder im leben betreten, sie kannte ihre engländer nur zu genau, ein verstocktes, wenn auch äußerlich liberal scheinendes volk, herren und damen, denen das geringste laute wort wie ein floh in die ohren sprang. Und frau Germaine hatte als junges mädchen einmal einen floh in die ohren gekriegt, das donnerte an meinem trommelfell, erzählte sie später, als stünde ich inmitten einer batterie von geschützen.

Man drängte zum ausgang, ließ menu menu sein, etwas schreckliches war passiert, wenigstens nahm man das als gewiß an, denn wie sonst würde ein mensch so brüllen, mit den füßen aufstampfen, das ohnehin schon so schwer zu verstehende französisch noch unverständlicher aus dem mund spukken?

Die beiden köchinnen, Herr Serge schlief abwechselnd mit jeder von ihnen, erschienen nun mit einem heiligenschein aus knoblauch und gutem olivenöl an der klotüre, die der oberkellner noch immer nicht verlassen hatte. Joanne, die jüngere, hielt ein volles glas mit calvados, Marie, eine etwas pummelige achtunddreißigjährige, stand unschlüssig mit einem sauberen geschirrtuch vor dem rasenden, um ihm bei einer möglichen gelegenheit die schweißüberträufte stirne abzuwischen. Herr Serge stürzte den schnaps in einem einzigen zug in das zentrum seiner erregung und war zum ersten mal seit fünf minuten still. Das war für Marie das signal, ihrem nächtlichen teilhaber mit dem weißen tuch über die gelbglänzende stirne zu fahren – und genau in diesem augenblick begann die unheilige, infernalische klosettspülung wieder zu rauschen! Mit einem wehlaut sank Herr Serge an die massiven brüste seiner beiden küchendragoner, ohnmächtig und schwer wie ein bemooster stein ..

Léopold, der glücklose piccolo des Blauen Anker war, nachdem Herr Serge seine rolle als rasender Roland angetreten hatte, kurzerhand auf das klo geflüchtet, war verzweifelt auf die brille gesprungen und hatte sich unter lautem blabla die ohren zugehalten, um nicht den unbeherrschten ausbruch seines vorgesetzten mitanhören zu müssen, war jedoch nach einer weile agonie mit dem rechten fuß in die klomuschel abgeglitten, hatte hilfesuchend nach dem nächstbesten halt gegriffen, dabei die strippe erwischt und solcherart herrn Serge Davidoff in ein probejenseits zwischen den feisten milchquadraten der beiden kasserolfeen befördert.

Drangsal, auf französisch etwa: *tribulation*, ein wort, das dem braven Léopold kaum geläufig gewesen sein wird, dessen bedeutung er aber im wahrsten sinn auszukosten hatte, an dem er wie an einer schrecklichen suppe löffelte, um in der gastronomie zu bleiben, dessen scheußlichen geschmack er dennoch durchzustehen vorhatte, nämlich schon in jungen jahren, festen herzens wie ein neuer Amundsen, dem der schneewind der Arktis die ohren abbeißt, und der nichtsdestotrotz sein magnetisches ziel, den würdig-düsteren frack des oberkellnertums zu erreichen sucht. Diese traumzwölf war ihm allerdings nicht in das buch seines berufslebens geschrieben — frau Germaine, durch eine jahre zurückliegende straftat auf gedeih und verderb einem welschschweizer restaurationsschakal ausgeliefert, ließ Léopolds vater die nachricht zustellen, sein sohn sei leider nicht den anforderungen eines piccolos gewachsen, er hätte zwei verkehrte hände, zerbräche alles porzellan, mucke gegen seine vorgesetzten bei jeder sich bietenden gelegenheit auf, befände sich während seines dienstes mehr in der lauschigen intimität des wasserkloßetts, anstatt wie ein geflügelter dezenter schatten zwischen küche und speisesaal zu schwirren; leider, leider, aber vielleicht habe er seine talente anderswo verlagert: beim schuster, beim schneider, beim militär usw.

Daß er ihm die ohren abschnitte, um sie den säuen als fraß vorzuwerfen, nein, soweit ging der vater, der im grunde seines wesens ein herzensguter mann war, nicht, er hatte bloß etwas unbewußt blaubärtiges in der stimme, als er jaulend vom sofa auffahrend ausrief: Ich schneide dem nichtsnutz die ohren ab . . ohne nachsatz, *bien entendu.*

# Hasard und entenbraten

Er kam betreten aus dem spielhaus, atmete verdrossen die milde abendluft und hatte die nase nun endgültig voll. Welcher gewaltiger unstern, dachte er, hat mich in diese luxuskaschemme geführt, welch ungünstiger beutelschneider von schutzengel hat mich da verlassen? Sechzigtausend francs sind beim himmel nicht der furz einer lerche, das ist geld wie es leibt und lebt, ein mittleres vermögen für einen nicht allzuunbescheidenen menschen – und allzuunbescheiden, nein, das war er wirklich nicht! Er empfand plötzlich hunger nach einer gebratenen ente und entsann sich eines kleinen, aber vornehmen lokals, das an der anderen seite der Rhone zwischen aubäumen versteckt, doch durch bunte glühbirnen leicht wieder entdeckbar, lag. Wieviel gebratene enten hätte ich um diese verlorenen sechzigtausend beordern können, dachte er bitter und blätterte mit fast edler trauer die ihm noch verbliebenen geldscheine durch; ich habe unter zwei stunden, der teufel mag sich ihrer annehmen, nicht weniger als drei solche vögel beinhaltende farmen für nichts und wieder nichts verbraten, den lebensunterhalt dreier fleißiger geflügelzüchter hinter die gierigen rechen der croupiers gewichst, trotz meiner leicht angegriffenen lungen gegen hundert filterlose cigaretten verpafft, mein schon seit zarter jugend nicht besonders funktionierendes herz aufs schlimmste hergenommen, meine leicht angegrauten schläfen um einiges silber bereichert, habe trotz härtestem harnzwang jenen verfluchten roulettetisch nicht verlassen, habe diesen nichtmißzuverstehenden warnruf eines gütigen genius' leichtfertig in die winde geschlagen, bin nicht auf die toilette – weißgott, hätte ich diesen marmorstillen ort der besinnung aufgesucht, ich stünde möglicherweise glimpflicher am ufer dieses nächtlichen flusses, äße meine ente zufriedener, müßte mir keine kugel durch das hirn brennen, fiele einem morgendlichen spaziergänger nicht zur schreckensvollen last . . Er erinnerte sich plötzlich, wieviel er noch nachzuholen hatte, und trat in das dunkel der ufergebüsche. Es mag an dieser stelle daraufhingewiesen werden, daß auch Lord Ch. (der autor verschweigt aus gründen der gebotenen pietät den vollen namen), bevor er sich die gurgel mit einem barbiermesser durchtrennte, seinem zwingenden menschlichen bedürfnis nachgekommen war. Herrn Alphonse allerdings pressierte es noch nicht so sehr, war er doch gewillt, seine abschiedsente bei gepflegtem kerzenlicht zu verzehren, einige flaschen beaujolais zur brust zu nehmen und eine starke cuba zu rauchen, welches letztere er wohl die letzten jahre hindurch sehr gewünscht, jedoch wegen seines pneumonalen zustandes nie gewagt hatte – nun, so dachte er voll entschlossenheit, wäre der zeitpunkt dazu gekommen, denn, wie es auf dem lande heißt: wenn die kuh hin ist, mag auch das kalb verrecken. Er trat hosenlatzordnend aus dem gebüsch hervor und wandte seine schritte entschieden dem restaurant zu, das man über die brücke in fünf minuten erreichen konnte. Er überquerte versonnen und in gedanken an die vorzügliche ente gar nicht mehr so unlustig die brücke, kam abermals an erlengebüschen vorbei, hörte plötzlich ein klicken, und noch eins, dem ein drittes folgte. Darauf vernahm er einen undefinierbaren ungarischen fluch, das heißt: er vermochte den sinn der interjektion des zorns nicht zu verstehen, konnte sie jedoch als gebildeter mann unverzüglich jenem zweig des finno-ugrischen zuteilen. Ein schwarzer gegenstand flog im bogen aus dem gebüsch, grade so weit von seinen füßen entfernt, um den lack seiner schuhkappen nicht zu verletzen. Er bückte sich forschenden augs nach dem nächtlichen objekt, zum teufel, es war ein handlicher revolver; welcher marke, das vermochte er der dunkelheit wegen nicht zu unterscheiden. Er nahm den metallenen töter hoch, er paßte sich vortrefflich in seine hand . . Er wog ihn bedächtig

und wandte seinen blick wieder dem erlengebüsch
zu, das sich jetzt teilte und einen elegantgekleide-
ten herrn zum vorschein brachte. Der mond war
eben aus den wolken gekommen, die erlenblätter
begannen seidig zu schimmern, der soeben erschie-
nene herr verbeugte sich kurz und sagte höflich
seinen namen: Ferencsi Béla mein name sagte er.
Alphonse Alphonse, erwiderte herr Alphonse und
verbeugte sich ebenfalls knapp. Sie müssen mir
verzeihen, aber mein werter herr vater hatte es,
so scheint es mir, für lustig befunden, den
namen unserer familie als meinen vornamen
zu verwenden, ein umstand, der mir des öfte-
ren vorschnelle mißbilligungen eingetragen hat.
Mir geht es mit meinem namen auch nicht viel
besser, antwortete der vornehme ungar, man
schreibt ihn stets falsch und ich bin des buchstabie-
rens längst müde, lasse jedem schreiber seinen wil-
len, stelle mich von nation zu nation, von sprache
zu sprache um. Erst kürzlich in Thailand .. er
unterbrach sich und blickte nach dem revolver, der
noch immer auf der ausgestreckten handfläche des
anderen ruhte. Ein wertloser schmarren, sagte er
mit einiger bitterkeit, ein völlig unbrauchbarer
dreck, den mir da ein gewissenloser waffenhändler
in Lyon angedreht hat, versagt dreimal hinterein-
ander, nicht zu glauben. Sie gestatten doch, daß ich
ihn einmal versuche, sagte herr Alphonse. Ich bitte

sie, versetzte der Ungar, die waffe steht ihnen je-
derzeit zur verfügung; ich bedaure nur, daß ich
ihnen keine vernünftigere aufwarten kann, denn
diese. Herr Alphonse setzte die tödlichseinsollende
mündung der waffe an die schläfe, dachte mit
wehmut noch einmal an den entenbraten und
drückte entschlossen ab. Klick! versager, klack!
versager, klick! Scheiße, durchfuhr es nun auch
herrn Alphonse, eben das wort, welches er vorhin
auf ungarisch gehört, jedoch, da fremdsprache,
nicht verstehen hatte können. Nun, was habe ich
ihnen gesagt, ließ sich der magyare mit einigem
stolz vernehmen, dieser kerl in Lyon hat mir da
etwas aufgeschwatzt, das ich ohne weiteres mit
sechs schuß geladen meinen kleinen neffen in München als spielzeug schenken könnte. Das wäre noch
eine idee! sagte herr Alphonse. Herr Ferencsi
grinste voll dunkler melancholie, sein schnurrbart
verzog sich im mondlicht zu einer unwirklichen
arabeske – ich habe, so sagte er mit erstaunlicher
offenheit, nicht mehr als *fünfundfünfzigfrancs-*
*fünfzig* in meiner börse, eine summe, die mich gerade noch bis Lyon zurückbrächte, um dem waf-
fenlieferanten eine ordentliche ohrfeige zu verset-
zen. Bis München reicht es nicht mehr, autostopp
vielleicht – aber, so fuhr er fort, wer nimmt mich
in dieser aufmachung schon mit. Er fuhr sich mit
den fingerspitzen über die makellose frackbrust.

Ich habe genau sechzigtausend francs im spielhaus verloren – roulette, sagte herr Alphonse. Und ich, erwiderte herr Ferencsi wahrheitsgemäß, siebenundsiebzigtausend beim baccara; mir bleibt hiermit nichts andres übrig, als mich, wie man so schön sagt, zu entleiben! Ich würde ihnen gerne mit meiner waffe, die ich stets in der brusttasche trage, um durch die gewisse ausbuchtung in spielerkreisen üblerer sorte respekt zu erregen, aushelfen, allein, sie besitzt nur eine patrone, und da ich ebenfalls willens bin, mir eine kugel, wie man so schön sagt, durchs hirn zu brennen, kann ich ihnen, so leid mir das tut, nicht aufwarten. Schade, sagte herr Ferencsi etwas pikiert. Herr Alphonse, der das wohl bemerkte, legte dem Ungarn freundschaftlich die linke auf die frackschulter und warf mit der rechten dessen schußwaffe ins zitternde erlengebüsch. Mein herr, sagte er, mein revolver besitzt ein völlig anderes kaliber als der ihre, ehrenwort, ich bin kein geizkragen, und wären die kaliber unsrer waffen die gleichen gewesen, ich hätte sie ihnen nach meinem ableben sogleich mitgeteilt. Wieviel schuß haben sie? Das miststück ist ein sechsschüsser und vollgeladen, sagte der Ungar ergeben. Parbleu, rief herr Alphonse, welch meisterstück eines widerwärtigen schicksals! Er blickte auf seine taschenuhr. Verdammt, schon halbzehn.. Und zum Ungarn: mein herr, was halten sie von gebra-

tenen enten? Gebratene enten? Mein herr, ich
wüßte nichts verehrungswürdigeres, meine leibli-
che großmutter nicht ausgenommen! Ich gestatte
mir in aller gebührlicher form, sie, mein herr, auf
eine gebratene ente und einige flaschen beaujolais
zu invitieren. Gewiß kennen sie das kleine, aber
vornehme lokal da drüben, sündteuer, aber was
machts; sie wissen doch vielleicht wie man am lande sagt: wenn die kuh hin ist, mag auch das kalb
verrecken! So ein ähnliches sprichwort, sagte herr
Ferencsi, gäbe es auch in seiner muttersprache,
wenn auch ein wenig anders . .

Die beiden verlierer hatten noch keine drei
schritte nach ihrem lukullischen ziel unternommen, als sie hinter sich ein scharfes halt vernah-
men. Erstaunt fuhren sie herum. Im mondlicht,
das jetzt hervorragend schimmerte, stand ein herr,
ebenfalls in abendkleidung, und hielt den fortge-
worfenen revolver des ungarischen gentleman in
der rechten. Stehengeblieben und die arme hoch!
rief er schneidenden tones. Er schien zu vielem
mut aufzubringen. Werfen sie mir ihre börsen zu,
brieftaschen, ringe, wertvollere andenken sofern
sie aus gold, platin oder anderem edelmetall sind,
vergessen sie nicht etwaige reiseschecks, sparbü-
cher, kravattennadeln, elfenbeinerne manschet-
tenknöpfe etcetera oder es kracht!

Nun, so krachen sie doch getrost los! rief herr

Alphonse belustigt. Der dritte mann drückte ohne zu zielen ab — er wollte es vorher mit einem schreckschuß versuchen. Klick! nichts, klack! versager, klick! tinnef. . Der befrackte straßenräuber warf den revolver mit einem isländischen fluch in den kies der straße und begann, indem er die hände vors gesicht schlug, tatsächlich bitterlich zu weinen. Ich verstehe, sagte herr Alphonse, er hat ebenso wie wir in jenem spielhause verloren, wollte sich mangels einer ordentlichen waffe in der Rhone ertränken, fand im augenblick seiner letzten lebenssekunden diesen miserablen versager im gebüsch — und dachte, als echter desperado, doch noch einen ausweg seiner ausweglosigkeit gefunden zu haben.

Der Isländer, der diese worte des herrn Alphonse mitangehört hatte, schneuzte sich in ein weißes seidentuch und trat auf die beiden von ihm überfallenen zu: Meine herren, sagte er, was jener herr, er zeigte dabei auf herrn Alphonse, in kurzen worten ausgeführt hat, ist leider nur zu wahr. Ich habe beim poker hunderttausend francs verloren, hölle & teufel, bis auf den dernièrsten sous! Sapristi, das ist eine erkleckliche summe, rief herr Ferencsi, mein herr, sie haben bereits meine condolation. Und die meinige ebenfalls, fügte herr Alphonse hinzu. Man schüttelte einander die hände, stellte sich mit namen vor, der Isländer hieß komischerweise Alfónsur Alfónsson, was herrn Alphonse fast verwandtschaftliche gefühle bescherte. Lieben sie enten, lieber herr Alfónsson? fragte er den bankrotten inselbewohner. Dieser kippte nahezu aus den seidensocken: eine gebratene ente würde mich in diesem augenblick sogar meinen schreckensvollen geldverlust vergessen machen! Allein ich besitze, wie ich schon erwähnt, nicht einen einzigen sous .. Der elegante Reykjaviker bot in seiner mondlichtübergossenheit ein einzigartiges bild von nordischer schwermut .. Jetzt begann herr Ferencsi zu weinen, als ob man ihm mit zigeuners geige ›Trauriger Sonntag‹ ins ohr fiedelte. Mein herr, rief er, ich teile meine börse freiwillig mit ihnen, sie sollen ihrer gebratenen ente nicht verlustig gehen! Und ich, rief herr Alphonse, biete ihnen ein drittel meiner pekuniärüberreste an – allons, Alfónsur, wenn ich sie so frei ansprechen darf, dort drüben ist ein kleines, jedoch äußerst vornehmes entenlokal; meine herrn, sie gestatten, daß ich vorgehe ..

Daß sie in der verworrenheit der letzten minuten den falschen weg eingeschlagen hatten, merkten sie erst, als sie vor dem hellerleuchteten portal des spielhauses standen ..

Gerechter zorn der geschlechter

Er war kalkweiß im gesicht geworden und bibberte
vor wut; der bahnhofvorplatz war um diese
stille stunde des mittags so gut wie leer und
man durfte sich solcherart ungesehen sehen lassen.
Vor den blankpolierten stiefeletten des dunkel-
feierlichgekleideten herrn lag ein zerknüllter
brief, den er, kaum gelesen, auch schon hinge-
schmissen hatte: was mochte in jenem papierma-
nufakturerzeugnis daringestanden haben? War es
der spartanisch kurze schrieb einer entmenschten
mutter, die dem darbenden sohne den nötigen
geldzuschuß mit herzlosen worten weigert? War
es das schnoddrige machwerk einer frechen schwester, die brüderlichen ermahnungen mit kessen
zeilen dankt? War es einer unwürdigen geliebten
letztes leck-du-mich-am-arsch-du-hammel? Wer
vermochte das schon zu sagen, wenn nicht der
hechtgrau angelaufene himmel über jener kleinen
stadt in Mitteleuropa?

Das enervierende gefühl, irgendwie abgeblitzt
zu sein, der an die hinterwand eines falschen ge-
bisses gestiegene magengrubengeschmack herber
enttäuschung, die möwenweiße, milchsaure musik
aus den poren eines unangenehmen februartages

geisterte in ihm und um ihn, er hob den fortge-
worfenen brief wieder auf, glättete ihn mit dem
rücken des rechten unterarmes über dem angeho-
benen linken schenkel – und brachte schließlich ein
seltsames geräusch aus seinem mund, das nach qual-
vollem erbrechen, oder wenigstens nach einem er-
folglosen kotzversuch klang. Er zerknüllte den
betreffenden brief abermals, formte aus ihm eine
veritable kugel, warf sie vor sich hin und begann
wie ein verrücktgewordener mittelstürmer nach
abstieg seines ligavereines daran herumzukicken.
Er atmete erst etwas erleichtert auf, als das mal-
trätierte bällchen in einem der gußeisernen qua-
dratmäuler eines kanalgitters verschwunden war
und somit den weg durch die stinkenden kloaken
der stadt antrat, der gerechten schicksalsroute aller
schlechten, bissigen, gemeinen, zornverursachen-
den episteln. Er griff in die brusttasche seines un-
heilverkündenden schwarzen überziehers und
brachte ein blitzendes stilett ans sonnenlose februarlicht, prüfte die schärfe der klinge an einem haar
seines pechfarbenen, langen vollbartes, lachte fin-
ster auf und rief: immerhin, ein Landru werde
ich wohl niemals, dazu bin ich zu schwach, aber,
so fuhr er mit wachsender, wenn auch düsterer
begeisterung fort, den weibern werde ich es schon
noch zeigen, ich will ihnen die waden nach vorne
richten und die wackelärsche auf trab bringen, daß

ihnen hören und lauschen vergeht; sie sind alle-
samt nutten und huren, glauben sich die wiefsten
dinger von der welt, drehen ihr gestell nach allen
windrichtungen, treibens heut mit diesem, morgen
mit jenem und übermorgen mit weißgott wem;
von treue und glauben nicht das spürchen
einer spur, keine scham, keine religion, be-
stenfalls schwarzemessefeen und hexen, zu jeder
luderei bereit, wenn ordentlich geld dabei
rausguckt, lustbesessene schweinchen, die nichts
andres im sinne führen als uns männern den letzten cent, centavo, centesimo aus der börse zu fi-
lidieren; durchaus falsche katzen, von denen es
heißt, daß sie vorne lecken und hinten kratzen,
von windelzarter jugend an zu nichts anderem fä-
hig denn süßsaure schnuten zu ziehen, lippen lak-
kieren, wimpern tuschen, fingernägel maniküren,
röschenbedrucktes clopapier verwenden, arm-
sprays vergeuden, onassisteure parfums in bahn-
hofstoiletten stehen lassen und so fort, so dahin,
mag die welt und der mann dabei zugrundegehen,
was schert sie das schon – geht eine welt kaputt,
taucht eine neue auf; holt einen mann der teufel,
bringt irgend so ein übler engel einen frischen .. ja,
das glauben sie, verdammt noch mal, und die pra-
xis gibt ihnen tatsächlich fast immer recht. Aber
das soll ab jetzt anders werden, dafür werde *ich*
sorgen; ich bin der rächer, der überzorro, der

schwarze gast mit der gesalzenen dompteurpeitsche, der herr im gehrock einer violetten vergeltung, summa summarum endlich einer, der *nicht* vom mond ist, einer, der das abrakadabra des heilsamen schreckens aus dem eff beherrscht, zauberhafter als Mandrake in boudoirs auftaucht, negligées verwüstet, seidenhöschen annihiliert, büstenhalter zerfetzt, augenbrauen entvölkert, geschwungene wimpern mit der schafschere stutzt, schamhaar mit der kneifzange bearbeitet, frisuren aufs gräßlichste entwürdigt, lippen mit verdorbenem lebertran reinigt, zu schauerlichen hausarbeiten zwingt, verlauste ratten in hübschen geschenkpackungen einschmuggelt, schleimgraue küchenschaben in puderdöschen praktiziert, reißzwecken unter einladenden laken aufrichtet und winzige japanische lautsprecher hinter den duftenden schlafzimmerstores, daraus meckerndes gelächter zur guten stunde dringt, den damen zur aufwartung und harnbeschleunigung ..

Eben um diese zeit erwachte eine gewisse dame aus der beklemmend gewesenen gasmaske ihrer träume, rieb sich die augen und spuckte, nachdem sie genügend hustenspeichel in der rosenroten liebeshöhle ihres zuckermundes gesammelt hatte, in das gläserne antlitz der biedermeieruhr, die ihrem bette in glanzvollem schwarz und gold gegenüberhing: sie traf exakt wie immer deren nabel, also die stelle, wo beide zeiger geboren werden, um stunde um stunde in vergangenheit zu vermahlen. Die erwachte dame war gegen hundertachtzig pfund schwer, von eher osmanischem aussehen, eine einssechziggroße odaliske mit schnurrbartanflug, dreißigeinhalb jahre jung, mittelbusig, breithintrig, was sich bei ihrem gewicht ja von selbst versteht und hier zu beschreiben nicht unbedingt angebracht scheint, allein wegen der unsittlichkeit des eben deskribierten ausdruckes vom autor gerne verwendet wurde; ihre extremitäten waren übrigens zart, sie besaß feine hände, nette waden und eine minimale schuhnummer, ihre augen waren fast ebenso dunkel wie die beiden brauen, die ihr über der leicht geschwungenen nase auf maurische weise zusammenwuchsen. Die wanduhr begann zwölf zu schlagen, das kahle februarlicht fiel schüchtern durch die vorgezogenen gardinen, drang mit einem kaum merkbaren strahl bis knapp vor die breite bettstatt der wuchtigen sulaika, hielt aber eben gute zehn zentimeter vor jener weichgepolsterten morpheuswiese an, als fürchte es gleichsam deren nackte herrin, die sich faul und noch immer schlaftrunken aus ihrer seidenen region wälzte. Elender scheißtraum elender, murmelte sie durch ihre puppenzähne, scheißtraum, in dem mich ein dutzend geile mannsbilder auf die diversesten arten hernehmen, mit mir ihre dreckigen spielchen treiben, meine sämtlichen löcher befühlen, benutzen und bekleckern! Sie räusperte sich abermals und spuckte das angesammelte nach einem chinesischen jadeäffchen, das auf einem nipptisch eine neckische positur einnahm – das kunstwerkchen kippte kurz um. Ich habe jetzt noch eine ganze samenbank in der gurgel, knurrte sie gehässig .. Und nicht genug damit: mein negligée haben sie grinsend verwüstet, meine seidenhöschen unter faunischem gemecker annihiliert, mit horridorufen haben sie meinen büstenhalter zerfetzt, wie ein heuschreckenschwarm sind sie über meine augenbrauen hergefallen, die wimpern haben sie mir mit einer stumpfen schafschere gestutzt, die haare um mein dingsda haben sie mir stundenlang mit der kneifzange bearbeitet, mein teures rouge haben sie mir mit stinkendem lebertran von den lippen gewischt! Oh, diese verlausten ratten, diese obersäue mit heruntergelassenen hosen, diese korkenzieherschwänze, diese muffigen schweißschimpansen, diese ungewaschenen käseottos, ich werde mich für diese outragen auf eine weise rächen, wie sie die welt seit der sintflut nicht mehr erlebt hat! Sie hatte unter solchen und anderen worten, die ich hier lieber nicht aufs papier bringe, ihren geblümten morgenmantel übergeworfen, war in die toilette geschlurft – und jetzt saß sie unheilig sinnend vorgebeugt, die

wangen in die handflächen gestützt, majestäts-
ärschig auf dem um einiges zu kleinen por-
zellanthron und knabberte an einem harten
konfekt, dessen krachmandeliges knirschen sich
höchst wunderlich mit den weitaus lauteren
hauptgeräuschen ihrer momentanen verrichtung
kopulierte.

Der wüste junge mann in schwarz entsann sich
jetzt, nach dieser tirade, daß ihm sein hausarzt an-
geraten hatte, täglich eine ländliche mahlzeit zu
sich zu nehmen; er bestieg aus diesem grund einen
eben haltenden autobus, der ihn innert kurzem in
die ortschaft Görpsiswyl brachte, ein nettes, ge-
pflegtes bauerndorf, etwa 15 kilometer von jener kleinen stadt gelegen, auf dessen menschenlee-
rem bahnhofsvorplatz er seinen misogynen anfall
über sich ergehen hatte lassen, einen regenschauer
feuriger funken, der sein innerstes aufgewühlt,
es in ungeheures wallen, in brodelnde dämpfe la-
vaartiger haßeruptionen versetzt hatte. Mit einem
satz, der ihm beinahe eine verstauchung des linken beines einbrachte, sprang er in G. aus dem wenig besuchten bus und eilte mittelmäßig be-
schwingt auf jenes, von ihm für ländliche mahlzei-
ten bevorzugte gastlokal zu. Er nahm einen freien
ecktisch für einige sekunden in augenschein, schien
mit ihm zufrieden und nahm an der rohen aber
reinlichen tafel platz. Die menukarte lag vor ihm,

er schlug sie auf, studierte sie eine weile und flüsterte endlich eher lustlos *merde*, dies, ein französisches wort, welches ihm, dem gebildeten wüstling nicht unbekannt war. Nach einiger zeit erschien die junge saaltochter und erkundigte sich, da sie ihn ja schon gut kannte, etwas leger nach seinen trankwünschen. Drei dezi hurenseiche, aber gut chambriert, wenn ich bitten darf! knurrte der düstere jüngling gehässig und direkt. Das zu tode erschrockene landkind lief paprikarot an, brachte kein wort hervor und verließ eilends den seltsam veranlagten mittagsgast, geradezu als ob es einem lustmörder im priesterrock begegnet sei, denn diese möglichkeit entwarf die dunkle kleidung des jungen mannes, der jetzt entschlossen war, mit seiner campagne wider alles weibtum zu beginnen, und wenn es anfänglich, wie er bei sich dachte, bloß dezente ausdrucksweisen waren, die er da gebrauchte, ha! er würde in folge die schraube seiner härtegrade schon fester anziehen: zuerst verbal, dann verbaler, später brachial, hernach noch brachialer, und schließlich so verbal-brachial, daß der göttliche markgraf mittels einer unendlich langen leiter aus den wolken steigen würde, um ihm, dem so hochtalentierten nachfolger seiner kunst jovial auf die schulter zu klopfen, ja, es würde eine wahre revolution werden, ganz gleich wie sie ausginge; er fürchtete nach diesem seinem schrecklichen ent-

schluß weder das aug der götter noch die blind-
heit der polizei!

Und hier, an dieser stelle, beginnt der lauf einer
völlig neuen, verrückten welt: die, wie schon bemerkt, zu tode erschrockene saaltochter war ohne
ein wort über die zunge zu bringen zu ihrer chefin
geeilt, ein herr, den sie seit einigen wochen für
einen anständigen herrn gehalten hätte, wäre ab
heute wie ausgewechselt, verlange von ihr eine sache, die sie, ihr schamgefühl betreffend, außer
rand und band bringe, soetwas habe sich in ihrem
nun fast einundzwanzigjährigen leben noch nie
zugetragen, sie wolle fristlos kündigen, wenn man
diesen unmöglichen menschen nicht sogleich durch
den hausburschen entfernen ließe, sie sei ja schließlich noch unberührte jungfrau und nicht jeder-
manns hure, von der man gegen etwas besseres
trinkgeld unanständiges verlangen könne; ich bin
ein arbeitsames junges mädchen, mich kann nicht
jeder ixbeliebige rotzlöffel im lutherrock zum sei-
chen auffordern, auch nicht, wenn er mir dafür
das doppelte oder dreifache bietet, dafür hat es
andere, in der stadt, hinter den bahnhöfen, unter
den viadukten, in den bedürfnisanstalten der großen metropolen, in gummiverseuchten parks, in
den hinterhöfen schäbiger nachtbars, in gastarbei-
terbeizen, in räuberhöhlen, wo die weiber reiß-
verschlüsse am arsch ihrer hot-pants tragen! Er

soll meinetwegen zu meiner schwester Maria marschieren, die macht ihm das vielleicht, die kleine drecksau – nicht aber ich!

Jetzt sollte sie geschirr spülen, rief ein erzürnter vater anderorts, aber das luder ist ja so faul, daß ihr die maden aus dem arsch kriechen! Und sein zorn war gerecht (vgl. seite . .) haha, kein wunder, daß er nach einem nichtvorhandenen rohrstock fingerte, einen nonexistenten schusterknieriemen ergriff, an einer imaginären hundepeitsche herumtat, die schwielige innenfläche seiner ehrlichen rechten hand sinnend betrachtete, an ausgestreute linsen und erbsen dachte, harte, ungekochte, darauf diese arbeitsunwillige spitzmaus die knie blauknien möchte, oder an muffige kellerecken, in der sie mit einer, eigens für weibliche faulpelze erfundenen sündermütze auf einem bein stehend stundenlang insichgehen sollte. Ich bin mit einer tochter bestraft, rief er in müder wut aus, die eher in ein arbeitshaus taugte, denn unter gesicherten verhältnissen einem betagten pensionär die führung eines heimes zu erleichtern! Da, da knotzt sie auf ihrer ungemachten couch herum, liest basteiromane, schmökert in schmierigen donaldducks und blöden fixifoxis, masturbiert zwischendurch, wenn sie mich nicht am schlüsselloch wähnt, mit vorgewärmten wienerwürstchen, die ich hernach, um nicht hungers zu verrecken, eiskalt auffressen

muß. Ich sollte das üble iltischen, dieses fitzverma-
ledeite stinkwiesel an einen puffleiter verdingen
oder als pornomodell an die St. Pauli Nachrichten,
dafür geld über geld einheimsen, mein witwertum
an den schwanz hängen, eine neue frau nehmen –
ich bin noch jung genug, um eine frische gefährtin
über das gewaschene kopfkissen zu legen, ich kann
noch kinder in die welt setzen, söhne, noch und
nöcher, zwillinge, drillinge! Wer bin ich denn
eigentlich, daß ich mir von dem balg auf den kopf
scheißen lasse? Was habe ich nicht für dieses ekelerregende ding von tochter getan? Achtzehn ist sie
jetzt, donner und doria, ein alter, wo sie endlich
einmal was für ihren erzeuger tun könnte – zu-
rückzahlen, dankbarkeit erweisen, kindesliebe an
den tag legen, meine alten tage auf rosen betten,
den herrgott segnen, daß sie noch einen vater hat,
geschirrspülen und küchengeräte säubern; nett und
rein soll die küche sein! Aber was treibt sie den
lieben langen tag? Vim, Ajax und Lux noch einmal, hier hat die gemütlichkeit denn doch einen
schlußpunkt! Maria! Maria! Verflixt und zuge-
stopft, sie hat wieder mal ihre hörorgane mit ohro-
pax präpariert, sie will mich nicht hören, sie singt
blablabla, ich kenne ihre machenschaften wie ein
uhrmacher die sekunden: herbei, du lausige wan-
zendirne, vor meine stirne, wechselbalg ausge-
wechselter du, herunter in die gute stube, du

malefitzvotze von ungeratener tochter; ich bin ein eisenbahnbediensteter, der seinen beruf 35 jahre ordentlich und unfallfrei versehen hat – ist dies nun der dank einer danklosen natur, ist dies der unverdiente lebensabend, den ich hier verdiene, soll das ein greisenlos sein, das man mir da schenkt, ohne darum gebeten zu haben; bei meiner unsterblichen seele, ich könnte mich in den arsch beißen – warum auch ging ich zur bahn und nicht zum circus? Weshalb versuchte ich nicht eine steile karriere als schlangenmensch, als pfiffiger August, als manegenbetreuer oder als trapezkünstler, der sich ums leben nicht einen rappen scheißt? Fixsakrament, was trägt es mir nun ein, daß ich im besten mannesalter eine waschmittelvertreterin zwischen Sisikon und Flüelen im dienstabteil anbummse, sie als rechtschaffener mensch eheliche und für meine senkrechte art und weise nichts anderes ernte als dieses ungeratene weibsstück, das so faul ist wie *siehe oben!* Gütiger himmel, ich gebs auf, ich geh in die Sihl, ich hüpf aus der Sternwartekuppel, ich bind mich am hals an ein geparktes rennauto und wart auf das startzeichen . .

Apotheose in kammgarn

Er belfert wie eine dogge, er ächzt wie ein eber, er dröhnt wie ein gorilla; er geifert, sabbert, lechzt, prustet, jault und blökt; er ist zum tierreich geworden, ein werwolf in hosenträgern, ein dem mittelalter entsprungener waldmensch, eine bestie in gestreiftem kammgarn, eine wildsau im fuffzigmarkhemd – holla! müßte ein beherzter rufen, holla, hier geht eine unangenehme szene zu weit! Allein der galante retter schläft auf beiden ohren, weilt im ausland, atmet im gebirge, macht in ferien, döst in freilichtspielen, mogelt bei freunden im skat, räkelt sich auf hoher see, sitzt betroffen im knast, schwitzt in entführtem flugzeug, latscht auf exkursionen, verdreht sich den hals im strandbad, befindet sich überall im bereiche des kreisenden globus, nur nicht vor dem café, wo der unmensch Nathalie in sieben verschiedene teile zerlegt!

Eingehalten, man vergreift sich nicht an einer frau! Feige memme, unedler drecksack, erbärmlicher metzger! Er hat wohl keine mutter gehabt, er ist keinem schoß entsprungen, er trägt keinen zärtlichen schimmer im blick, er ist auf dem mist geboren, er hat die sonne mit einer klosettbrille verwechselt, hilfe! er ist salamanderkalt, er ist

molchhäutig, er ist grün und schleimig wie ein
lang nicht gesäuberter ausguß! Monster, wer eine
frau ins gesicht schlägt, ist nicht wert, nach ihrem
gesäß zu greifen! Hat die welt schon sowas gesehen, berochen, geschmeckt, belauscht? Lassen sie
sich ihr tanzstundengeld zurückgeben, mein herr;
belieben sie die augengläser zu verlieren, durch
die sie ein anmutiges bein bewundern, einen reizenden hüftschwung verfolgen; eine frau ist ein
geschenk der guten natur, dessen sie nie ein
empfänger sein sollten, ja!

Er begreift nicht, was es heißt, das wort *schatz*
zu verdienen; ihm sind die tausend brennenden
dinge der liebe aus dem herzen gewichst; man
müßte ihn meiden hinfür wie der handleser den
cholerakranken, wie der gepflegte flaneur den
floh, wie der obstgarten einen blindwütigen affen!

Er steht vor dem café, es erscheint die blondine,
er springt sie an, er reißt ihr die perücke vom
kopf, er verstreut den inhalt ihrer handtasche, er
bespuckt ihren pulli, er dreht ihre nase zwischen
mittel- und zeigefinger, er knetet ihre ohren, er
beißt in ihre perlenkette, er stippt ihre sonnen-
brille in unrat, er zieht ihr wie ein rasender die
strümpfe von den beinen, er zerfetzt ihr das un-
terkleid, er entblößt ihr unter höhnischen bemerkungen den busen, um dadurch für sein schreckliches werk aufmerksamkeit zu erregen.

Daß sich der azurne himmel nicht bewölkt, daß sich das gesiebte gold der sonne nicht in regen wandelt, daß sich der warme schmelz des tangos nicht in donner umbaut! Wo bleibt die wache, wo der hausmeister, wo der wackere passant? Die welt quietscht im falsett ihrer ungeölten angeln! Gallenstein meiner blühenden jugend, ruft er aus, geschwür meines geduldigen herzens, ich will dein blut sehen, deine lunge, deine leber, deine kutteln, deine frischen suppenknochen, dein kaiserfleisch, deinen lendenbraten, dein filet! Heda, leute, ein messer her oder einen geschliffenen regenschirm, damit ich sie teile, das verteufelte weibsstück; ich koch sie in jauche, ich brat sie auf kamelmist, ich dünst sie auf brennesseln, ich schmor sie in schakalschmalz, ich pökel sie in afterschweiß! Ha, hilfe, einen backofen her, damit ich ihr das handwerk ein für allemal lege!

Was ist in diesen jungen mann gefahren? Was geht in ihm vor? Wie sind seine gedanken während dieses schnöden aktes? Er, der stets nach noten sang, in wäldern musizierte, auf nachen und kähnen die bunte mandoline schlug, aus Heine vortrug, in bäume schnitzte, mit hähnen aufsprang, um dem morgenrot zu huldigen, mit offenen augen träumte, an dolden schnupperte, durch wiesen wallte und seine reisemütze fröhlich über der glatze schwang? Er, ein mensch, dem grille und ameise so lieb waren wie einem fleißigen die überstunden, was war geschehen, passiert?

Dem tango habe ich all dies zu verdanken, niemand anderem als dem *herrn* tango, diesem eingebildeten arschloch! würde sein besseres *ich* gesagt haben, ja, wenn es in dieser peinlichen stunde nicht geschwiegen hätte, irgendwo in seinem innersten auf eine möglichkeit des bereuens lauernd, versteckt wie eine abgesprungene brosche im laub eines längstvergangenen herbstes, ein verschollenes kleinod, ein vergrabenes bijou unter nadeln im stadtwald . .

Oh, tango! Mit bärtchen und violetter kragenschleife schwebte er durch das café dansant, nippte an bieren und sektsorten, streifte gekonnt die klotüren, rutschte wie nasse seife übers parkett, neckte die waden der oberkellner, wimmerte in plüschvorhängen und gerüchen verschiedener nagellacke, zeichnete das ideogramm für *el zorro* an die hautnahen pißwände, ließ sein heißes blut aufwallen nach art slowakischer zigeuner, fuhr einem durch hemdärmel und hosenlatz, kribbelte in den brüsten der damen, meckerte in den hoden der tänzer, kam sich vor wie das um und auf des *wirklichen lebens*, koste und lockte – sich so Nathalie als gespielin sichernd.

Oh, Nathalie, Nathalie, wohin hat deine leibeigenschaft, deine tanzwut geführt? Bist nicht du die eigentliche schuldige, und nicht Stanislas, der momentan grausige protagonist des unwürdigen stückes? Bist nicht du es, die in nahezu masochistischer art den gewaltakt eines verachtungswürdigen, *nun* verachtungswürdigen jünglings herausfordertest? Wie ein hund, der mal muß und nicht darf, so gebärdet er sich, er, der einstige freund der bienen und gräser, der taumelnde im irrgarten deiner liebe, der entrückte chevalier der teiche und täglichen erfrischungsbrausen; sollte das, was er nun tut, nicht eine art rückzahlung sein, eine erzwungene zwar, aber gerechte, für diesen monatealten betrug, für das verhältnis mit jenem lausigen ausländer von tango?

Stanislas fuhr sich völlig enerviert über die glatze – schweiß, dachte er, ja, du schwitzest über eine grauenvolle untat, einer frau hast du eine maulschelle über die wange geklescht, deine eigene Nathalie hat dir in die augen gestarrt, als seiest du die ausgeburt eines zuchthauses, zurückgezogen hat sie sich in das alhambra ausgefeilter tangolüste, dessen unkendes entrée dich nun wie ein als bordell maskierter höllenrachen anfeixt! Oh!

Er ordnete verwirrt aber sorgfältig seine verrutschte seidenkravatte, hob sein rechtes bein, um sein verirrtes glied wieder in die gewohnte hosenseite zu transplantieren, nestelte einen abgesunkenen sockenhalter diskret hoch und winkte düster nach dem freien taxi, das wie eine unglaubwürdige fata morgana in der nähe parkte.

Nathalie war nach diesem vorfall ramponiert wie eine marathontänzerin in tangos arme zurückgewankt; gnädiges fräulein, hatte man gestammelt, es ging alles so schnell, wir waren alle zu perplex, um vorerst überhaupt zu reagieren, wir hätten diesen menschen sonst fertiggemacht, die glatze hätten wir ihm mit Erdal poliert, die kravatte hätten wir ihm strafweise abgeschnitten, die hemdbrust hätten wir ihm ausgerissen, die schnürsenkel hätten wir ihm entfernt und durch blumendraht ersetzt — ja, solchergestalt hätte er das weite suchen müssen! Man richtete ihr liebevoll den büstenhalter und einer der herren rief nach der blumenfrau, die im vorraum der damenbedürfnisanstalt lauerte, um der schluchzenden *justine* eine rose zu verehren.

Düsterer jüngling, die bäume eines dich umfangenden stadtwaldes begrüßen deine tiefe trauer! Mon dieu, rufst du aus, du, der französischen sprache in wort und schrift mächtige, mon dieu, ich habe schrecklich gefehlt, und ihr, ihr bäume und gebüsche einer schuldlosen natur sollt zeugen sein, wie ein verbrecher aus liebe in sich geht, buße tut, reue bezeugt, sein noch tadelloses gebiß in malmendem knirschen übt, die offene hemdbrust mit festen boxhieben bearbeitet und nichts sehnlicher wünscht, denn noch haare auf dem haupt zu besitzen, um diese einzeln auszurupfen! Oh tag aller tage, könnte ich dich wieder ungeschehen machen, was gäbe ich dafür!

Distel und dornen verfangen sich im exquisit geschneiderten textil seiner kleidung, wie in zeitlupe gehen dem rasenden die hosen flöten, tausendmal schneller wuchert ihm kinn- und backenbart, er entledigt sich keuchend seines schuhzeugs, es ist ihm zu hinderlich beim beklettern der uralten baumriesen, er klammert sich in die efeu-trenchcoats der gigantischen ulmen, springt wie das eichhorn von mistel zu mistel, grünen laternen im grüneren gekuppel der rüstern, oh himmel! ruft er mit entsetzlicher stimme, ich habe gesündigt wider das liebste und, mag der himmel zerbrechen über mich, es geschieht mir ja nur recht, wenn ein stück davon meine stirne trifft, sie zerschmettert, mich in das steinichte moos tief unter mir befördert, ein waldläufer weniger, was tut's, ein anderer wird genauso desperat wie du in deine stapfen hüpfen, so geht der lauf der welt!

Stanislas wandelt sich mählich zum waldmenschen, zum orang utan, wie es im großen archipel unter anderem heißt; alles noch irgendwie freundliche ist aus seinen zügen gewichen, ein geiferstrom fließt links und rechts durch seinen dichten bart, sein brustgetrommel läßt die jungen eier der nester *vor* ihrer zeit mit zartem knacken bersten, die vögel fliehen in graubraunen zügen, das reh erstarrt, der hase erblaßt, der dachs erbebt wie ein espenblatt, eine fahle wolke schiebt sich gnadenlos vor die heitere sonne – guten abend, freunde, der weraffe ist los!

Ein einsiedler in schicker kutte, Holophernes Smejkal sein name, tritt lächelnd aus seiner netten klause hervor, schnuppert in die kühler gewordene luft, hält den ausgemergelten handrücken in die leichte septemberbrise, gedenkt seines fälligen breviers – und stutzt. Wie, war das der schrei aus alter zeit? Der schrei, den er so oft gehört, da er noch tropenarzt war, auf Sumatra, Bali, Celebes? Wie hört sich sowas an? Wie klingt das im ohre des laien, wie in dem des zoologisch gebildeten? Ein leiser verdacht dämmert auf im scharfen intellekt des anachoreten, er spricht sein brevier schneller als sonst, er kehrt schneller als sonst in seine felsenklause zurück – seine treue winchester ist auch in frommen tagen nicht verrostet, sie lehnt tadellos geölt neben dem einfachen, aber eleganten betstuhl; ein griff, der sogleich den fachmann ins rechte licht setzt, ein zug um den herben mönchs-mund des fünfzigjährigen, der mehr als einiges verrät: dies ist wieder tuan Smejkal, den man auf den inseln *manok sabong* nannte, den scharfen gockel von Borneo! Er lädt das jagdgewehr durch, er setzt seine praktische gasmaskenbrille vor die etwas kurzsichtig gewordenen augen, schleicht auf nackten sohlen aus der stätte seiner entsagung . .

Der tango besteht indessen schon aus sieben herren, die Nathalie mit ausgesuchten phrasen umschmalzen, als einer das lokal betritt, der automatisch ein gesicht zieht, das bitterböse wirken soll, in dieser roten beleuchtung jedoch bloß zu einer schemenhaften grimasse wird, von der man nicht weiß, ob es besser am platze wäre, über sie zu lachen oder zu kotzen. Drei stimmungsmusiker sind momentan eifrig zugange, ein ausgewähltes programm steinalter apachenschlager zu bieten, der pockennarbige chansonnier entringt sich geschmierte gurgeltöne, der mann hinter dem bandoneon schwitzt sich ordentlich einen ab und der klavierspieler zieht einen buckel wie einer, der geld scheißt und dreck erntet. Der grimassenmaxe mit der schiebermütze nimmt bewußt lässig an einem tischchen platz, beordert einen pastis 33, bereitet ihn mit der sorgfalt eines uhrmachers, lehnt sich in den knackenden stuhl zurück und betrachtet mit muße das werkende trio.

Der grimassenmaxe grinst mechanisch und der herr mit den pockennarben gurgelt: *C'est nous qui sommes les hiboux, les apaches, les voyous qui n'en fout' pas un sous* . .

Stanislasens schneller haarwuchs, ein capillärer

reichtum, der nur seine noch immer elegante glatze zu scheuen schien, hatte sich bereits über hände, brust und oberschenkel verbreitet – animalisch dicht, urchig wuchernd, rotbraun dschungelig, eine pelzige urwaldwiese von der hohen stirne bis hinab zu den sauber pedikürten zehen. Aber nicht, daß etwa nur sein haar an ausmaß zugenommen hätte, nein, auch sein körperbau erweiterte sich enorm. Vor einer stunde war er in jenen ungeheuren stadtwald gekommen – ein mann von etwa einssechzig, ein jüngling, wenn auch augenblicklich durch einen betrüblichen vorfall verzweifelt, so aber doch noch zu der schönen hoffnung anlaß gebend, einssiebzig zu werden. Aber das, was sich nun dem stillen spaziergänger geboten hätte, war bereits drei meter lang und von einer breite, für die das wort respektabel eher abschwächend wirken würde. War er anfangs von ast zu ast gehüpft, ein junger tagmahr, dem mutigen kaum furcht einflößend, so wuchtete er jetzt von eiche zu eiche, von zeder zu zeder, von baobab zu baobab, eine donnernde exkursion durch die kronen eines in bälde zum zerbersten bestimmten forstes, ein zorniger überschwang von kingkongischer rasanz, ein gekrache im abendrot, ein sibirisches siebenwerstgestiefel nahezu! O ja! Aber dies war nicht in einem imaginären Sibirien sylvaner ausdehnungen, nicht auf einem noch unentdeckten subkontinent, es war kein bereich um den Großen Sklavensee, kein anderer stern aus science-fictioners hand, dessen wipfel und äste Stanislas gleich einem titanischen rodeohelden beritt, sondern einfach der stadtwald eines mitteleuropäischen vaterlandes, eines zuchtortes heimischer wie exotischer baumsorten, einer heimstatt friedlicher vögel und harmlos wilder tiere – wie sonst hätte sich auch ein tropenjäger wie tuan Smejkal darin eine stille eremitage errichtet, ein mann also, der den wuchernden dschungel über und von reißenden bestien die nase voll hatte?

Jener einstige Gockel von Borneo, nun jedoch nur mehr ein religiösen betrachtungen obliegender christyogi, hatte sich deshalb, wie schon geschildert, am riemen gerissen, der stählerne lauf seiner winchester glitt wie eine steifgefrorene blaue schlange durch das halshohe unterholz, bewegte sich nahezu geräuschlos in die richtung, aus der jener orkanische baumfrevel erklang, der die elektrischen glühbirnen anliegender forsthäuser und ausflugsgaststätten erzittern ließ, ein umstand, den viele als vorboten eines endlichen erdbebens deuteten. Nein, *tuan manok sabong* war keine memme, er wäre auch gewiß der mann gewesen, der angesichts der szene vor dem café das bewußte ›Eingehalten, man vergreift sich nicht an einer frau!‹ gerufen hätte. Allein, die wege des schicksals sind fein durchkonstruiert, jeder hat sein *kismet,* niemand entgeht seiner vorbestimmung, keine laus, keine intrepide wanze ist so ehern, um den stundengang dieser gnadenlosen uhr durch einen sprung ins getriebe aufhalten zu können!

Das einstündige intermezzo des apachentrios war zu ende und nun jagte wieder ein tango den anderen. Der eine herr, dem Nathalie die trost-rose zu verdanken hatte, war inzwischen durch einen doppelnelson des grimassenmaxes aufs parkett gegangen, auf das gewachste parkett, über das nun jener starke herr die blondine mit der leichten backenrötung schleifte. Oh, was ein tango! *Ay que triste mi amor, ay que grande mi dolor, ramtam dararararámtam, drararararámtam di tamtam di tamtam didá*.. Es ist tatsächlich so, wie ich sage: während sich Stanislas, ihr schänder, als monster durch den stadtwald schwang, drehte und wand sich Nathalie in nahezu argentinischer verzückung durch das harmonika-plus violinge-schwängerte ampelrot über die tanzfläche, und als argentinier auch hatte sich der mann mit den interessanten pockennarben vorgestellt, ein junger polizeianwärter mit dem namen Franz Berger. Fräulein, sagte Franco, fräulein haben so etwas ganz anderes als die anderen.. ganz ganz was anderes.

Das ist endlich einer, der in mir das sieht, was

ich wirklich bin! dachte Nathalie und legte eine
ihrer bekannt gekonnten brücken hin . . Da plötzlich schrie einer der gäste auf: Der plafond stürzt
ein! Rette sich, wer kann! Er hatte kaum ausgere-
det, als auch schon ein ausgesprochenes rieselge-
räusch vernehmbar wurde; die roten ampeln
begannen zu schwanken, eine um die andere verlor ihre farbhülle, das licht wurde gleißend hell,
die romantische gesichtsschminke der damen nut-
tig aufdringlich, es gab fältchen und falten, wo
noch eben blühende jugend geherrscht hatte, der
boden begann zu wanken, ein besoffener kapitän
rief ›windstärke 10!‹, volle wie leere gläser zer-
schellten kurz und bündig, die garderobefrau fing
an laut zu beten, die bisher unverdrossen fortset-
zende tangokapelle brach nun doch ihr spiel ab —
der bogen des geigers war durch dessen gleichge-
wichtsverlagerung an den wanst der harmonika
geraten, hatte diesen durchbohrt, der harmonika-
spieler, dadurch verständlich erbost, hatte darauf
sein versehrtes instrument in die tasten des pianos
geworfen. So kam alles zum stillstand, es geschah
blitzschnell, wie im zeitraffer der stummfilme, die
musik schwieg wie ein entsetztes opfer, dem eben
die klinge eines messers durch die gurgel geritscht
ist . . Aus der tangotraum, erdbeben, die welt geht
unter, hilfe!, Anna, wo bist du?, Egon, was ist
das? oje oje! keine panik, meine herrschaften! Tja,

Fritz, das war dein letzter furz.. Es war auch nur zu begreiflich, daß alle welt aus der fassung geriet – die nackten ampeln schwankten jetzt so stark, daß keiner mehr an dem vorerst bloß scherzhaft angenommenen erdbeben zweifelte. Man drängte nach dem ausgang, herren fluchten, damen strauchelten, oberkellner jaulten summen und additionen, das gebet der garderobiere schwoll jetzt gewaltig wie eine orgel gen himmel, die risse in der saaldecke waren indessen schon so breit, daß modisch gestreifte hosenbeine aus ihnen herunterbaumelten, beredte zappelzeugen der katastrophe, die sich in dem oberhalb des café dansant befindlichen pokersalons anzubahnen begann. Mit einem kurzen wort: der ins riesenhafte gewachsene Stanislas war der bedrohlichen winchester entgangen und hatte den stadtwald in richtung city verlassen. Das dachte aber keiner, und es hätte auch keiner geglaubt, denn es schien einfach unglaublich, was in und mit diesem menschen vorging.

Als die Titanic sank, sollen es die ratten gewesen sein, die als erste das tanzparkett verließen, in jener lasterhöhle von tangoloch jedoch waren es die tänzer, die als erste das fluchtbein ergriffen, worauf natürlich auch die ratten ein exempel statuierten und stehenden fußes ins freie und zu neuem leben strebten. Die stadt war in aufruhr;

was keine beine hatte, trachtete notdürftig im handstand fortzukommen, arm- und beinlose suchten durch geschickte purzelbäume ihr karges bißchen leben zu retten, stumme wurden redend, redende verstummten, reiche tanten warfen ihren schmuck ab, um leichter von der stelle zu gelangen, kackende unterbrachen ihr wichtiges geschäft und flitzten ungewischt auf die straßen, hosenträger baumelten, schnürsenkel schleiften, sehr gewissenhafte hatten dennoch in der eile ungleiche schuhe angelegt, herren waren in damenröcke geschlüpft, damen hatten die beinkleider ihrer momentanen liebhaber wie boas um die schultern geworfen, heldenmütige kinder trugen großväter huckepack, tapfere urahnen schleppten ihre gesamte nachkommenschaft in rucksäcken und eierkiepen nach sicheren parks und breiten squares, es regnete schindeln und ziegel, reißzwecken und echte gemälde, mutige bandoleros warfen sich waffenlos in stehengelassene, offenstehende banken und packten sich die brusttaschen und aktenmappen voll, andere desperados, leute, die nichts zu verlieren, aber manches zu gewinnen glaubten, betraten entleerte bars und pubs, um das rauschen noch lange nicht versiegender bierhähne zu vernehmen oder die leichten seufzer jungfräulicher whiskybuddeln während ihrer devirginierung. Das war alles im grunde genommen recht schön und abenteuerhaft – aber dann verlöschten die lichter der stadt vollends und ein riesiger schatten, der schemenhafte umriß des schreitenden Stanislas, breitete sich am himmel zu ungewöhnlichen ausmaßen . .

Und dann – dann begann er zu tanzen, den tango jalousie, den schmalzschleifer aller gehörnten; mit dröhnender stimme brummelte er den deutschen text, die kirchenglocken gerieten in massive schwingungen, der Niederrhein begann seine dampfer und schlepper ans ufer zu werfen, die autobahnen verzerrten sich zu monogrammartigen gebilden, in einigen sexbutiken brach feuer aus, es roch haarsträubend nach gummi, die reeperbahnen der näheren umgegenden begannen nach weihrauch zu müffeln, stenze beriefen sich auf allah, homophile baten witwen um den schutz ihrer Unterröcke, winselten um gewährung, einsatzpolizisten verteilten ihre gummiknüppel an schummrige subjekte und aufrührer, priester spendeten kaugummis als hostien, die fröhliche erregung eines jüngsten tages hatte sie ergriffen, die diener des Herrn.

Wer rastet, der rostet, sagt sich tuan Smejkal und wirft die winchester angewidert in eine ihr nicht zugedacht gewesene ecke seiner klausur, ich habe zulange dem betschemel obgelegen, meine knie sind knackfreudig, meine finger durch jahre von andachten gekrümmt, mein auge schwach und durch diese nicht zureichenden dioptrien jener scheißgasmaskenbrille gehandicapter denn je zuvor! Er hört das sich entfernende getose, ruhe glättet mählich wieder die grünen hallen des stadtwaldes, es kehren bereits einige mutige vogelarten zu ihren zerstörten nistplätzen zurück: der kuckuck, der specht, der wiedehopf und ein auerhahnenpaar, das mit sack und pack schon in der ersten szene von Stanislasens auftreten das weite der welt gesucht hatte. Langsam auch beruhigt sich das gemüt des eremiten, er gedenkt jenes tages vor zwanzig jahren, da er auf Sarawak eine bestie fehlte; was es war, es ist ihm entfallen, aber immerhin hatte er damals das gleiche gefühl von abdankenmüssen gehabt, wie jetzt eben vor einer kurzen weile. Doch dann ging das leben wieder seinen alten gang weiter, er wurde der große *manok sabong*, ein ehrentitel, den man nur mit abgenommenen turban flüsterte, der ihm eine jüngste häuptlingstochter eingebracht hätte, wäre der drang nach religiöser betätigung nicht so übermächtig in seine seele gedrungen, der drang nach waldeinsamkeit in gemäßigter zone, der unwiderstehliche drang nach *heimat* und *gott*. Er läßt sich mit einem unterdrückten rülpser in sein lederfauteuil sinken und macht sich an den abgewetzten rosenkranz.

Anders die city der stadt: Stanislas, dessen

flammender zorn über sich selbst wieder völlig abgekühlt ist, findet sich in desolat wirkender kleidung plötzlich inmitten einer schreienden, fluchenden, betenden, winselnden menschenmenge. Wo bin ich? Wie sehe ich aus? Wo sind meine hosen, meine schuhe? Was ist passiert? Es beruhigt ihn schließlich, daß seine umgebung nicht viel besser als er aussieht. Hat es eine katastrophe gegeben? Einen zugzusammenstoß? Er entsinnt sich immerhin soviel, keine fahrkarte gekauft zu haben. Oder ein erdbeben, ein vulkanausbruch, ein bombardement? Hier bebt keine erde, hier hat es keine vulkane, hier führt man nicht krieg. Aber was soll das allgemeine geseire, die faden schwestern mit dem roten kreuz, die goldenen kruzifixe der pfaffen im mondlicht, die japsende freude sich wiederfindender, das mamapapagejammer verlorener kinder, die stehengelassenen autos und busse? Er tut das, was im moment das einzig richtige ist – er betritt den sperrangelweitoffenen laden eines herrenausstatters, nach sorgfältiger wahl findet er eine fabelhaft sitzende hose in beige, er legt ein paar dazupassender wollsocken an, zieht schuhe aus weichem knautschlack über, ersetzt sein zerfetztes hemd durch einen weißen rollkragenpulli, fährt zufrieden in einen marineblauen blazer, und verläßt ungehindert, ohne zu bezahlen, jenen tempel des gepflegten mannes ..

Tue getrost unrecht, so wird dir allemal gutes zuteil werden – tue recht, und es wird dir recht geschehen; wer anderen seine fünf finger in das gesicht legt, wird sich auf dornenlose rosen betten; manchmal sieht es so aus, als räche sich getanes unrecht am eigenen herrn, aber das ist bloß schein und trug – tapfer durchgestanden, und ein breites grinsen wächst dir aus dem herz; so ist es, freunde, und nicht anders!

Aber glaubt ihm nicht, dem Stanislas – noch ist nicht aller tage abend, und wer sich an einer schutzlosen frau vergreift, der hat wohl keine mutter gehabt, ist keinem schoß entsprungen, trägt keinen zärtlichen schimmer im blick, hat die sonne mit einer klosettbrille verwechselt und durch sie sein allerwertestes verrichtet. Oder vielleicht nicht, ihr arschlöcher?

# Alphabetisches Gesamtverzeichnis der suhrkamp taschenbücher